詩的原理の再構築

萩原朔太郎と吉本隆明を超えて

野沢 啓
Kei Nozawa

未來社

意識の空を切り裂きことのは一閃
闇をつらぬいて
腑に落ちる

あくがれいずるタマシイが
瞑目する生き物の最期の甘えか
切ない声を出す
たしかに伝わるものがあるよ

そのように舞い降りるもの
さしずめ意味は問わぬ
だれにうながされたのでもなく
まして命じられたのでもなく
記されることのは
その力はどこからくるのか
いずれわが命のしたたり
思いはそのあとからはじまるのだ

詩的原理の再構築——萩原朔太郎と吉本隆明を超えて★目次

［凡例］

・書名、雑誌名は『　』で、本文中の引用文は《　》で、キーワードと詩の引用は〈　〉で示した。
・主要な引用文は前後一行あけ、二字下げでわかりやすく掲示したが、文中に組み入れた場合もある。
・引用文にかんし日本語著作からのものは原文を尊重しているが、旧漢字の表記は主として技術的な理由によって必ずしも完全に再現してはいないことをお断りにしておく。
・引用のなかの強調は断りのないかぎり原文通りである。
・引用のページ数表示にかんしては、日本語著作の場合は「頁」を、邦訳の場合は「ページ」を使っているが、混用しているわけではなく、たんに著者の好みであるにすぎないので、ご寛恕いただきたい。
・引用文献はそのつど明記してあるが、頻度の高い『萩原朔太郎全集第六巻』（筑摩書房、一九七五年）は『全集第六巻』とし、吉本隆明『言語にとって美とはなにか』は角川書店のソフィア文庫版『定本 言語にとって美とはなにか』Ⅰ、Ⅱ巻（いずれも二〇〇一年）を使用し、それぞれ『言語美Ⅰ』『言語美Ⅱ』と表示した。また同じ箇所からの引用がつづく場合は「同前」を、該当する著者の本が一冊しかない場合は「前掲書」と表示し、本文中の注記を簡略化した。

詩的原理の再構築

——萩原朔太郎と吉本隆明を超えて

装幀——岸顯樹郎

はじめに

1　なぜ『詩の原理』『言語にとって美とはなにか』なのか

萩原朔太郎『詩の原理』（一九二八年）と吉本隆明『言語にとって美とはなにか』（一九六五年）という二つの著作は日本語における詩と言語表現の問題を考えるうえで避けて通ることのできない高い稜線を形成している。いずれも詩と文学の問題を原理的な観点からの大きな構想の枠組みのなかで考えようとしているという点で、他の追随を許さない独自の視点とパースペクティヴをもっている。

しかしながらこれらの著作は時代的な制約もあり、独自の着眼点があまりにも普遍的すぎてドグマ的であったり（萩原朔太郎）、独自な概念装置の創出を過信するあまりそれ自体が自立的な展開をして収拾がつかなくなっていくことに気づかなくなる（吉本隆明）、という事態を招いているのではないだろうか。それらは書かれた当時の知の水準や拠るべき資料の不足を反映しており、今日の視点からあらためて批判的に読みなおされなければならない。

萩原朔太郎は『詩の原理』の「結論」で、日本とヨーロッパの文明、精神構造などをさんざん比較対照したあとで、こう述べている。

今や吾人は、最後の決定的な問題にかかつてゐる。島國日本か？　世界日本か？　である。前者だつたら言ふところはない。萬事は今ある通りで好いだらう。だが後者に行かうとするのだつたら、もつと旺盛な詩的精神——それは現在（ザイン）しないものを欲情し、所有しないものを憧憬する——を高調し、明治維新の潑剌たる精神を一貫せねばならないのだ。何よりも根本的に、西洋文明そのものの本質を理解するのだ。皮相を學ぶ必要はない。本質に於て、彼の精神するものが何であるかを理解するのだ。それも頭脳で理解するのでなく、感情によつて主觀的に知り、西洋が持つてゐるものを、日本の中に「詩」として移さねばならないのだ。

（『全集第六巻』一九二頁）

さらにもうすこし先の方ではこんな発言になっている。

あらゆる決定的の手段は一つしかない。文明の軌道を換へることだ。吾人の車を、吾人自身の線から外づして、先方の軌道の上に持つて行くのだ。換言すれば、吾人のあまりに日本人

的なレアリズムやデモラクシイやを、斷然として廢棄してしまふのだ。(同前一九四頁)

こういう西洋志向の認識がいかに時代的な制約を受けていたかを知っても、いまからみて朔太郎の迷妄を簡単に葬り去ることはできない。朔太郎の詩への思いにはもっと根底的なものがあるからである。この「結論」の最後にはこう述べられている。

詩! 我々はこの言葉の中に響く、無限に人間的な意味を知つてゐる。そこには情念の渇(かわき)があり、遠く音樂のやうに聴えてくる、或る倫理感への陶酔がある。然り、詩は人間性の命令者で、情欲の底に燃えてゐるヒューマニチイだ。我々はそれを欲しても欲しないでも、意志によつて驅り立てられ、何かに突進せねばならなくなる。詩が導いて行くところへ直行しよう。(同前一九六頁)

こうした朔太郎の詩への思いはいかにもロマン的でいささか大目にみるべきものでしかないが、それには『詩の原理』で朔太郎なりにできるかぎりの理論的考察をなしとげたうえでの願望なのである。この朔太郎の理論の検討はこれから順次展開していくことになろう。

これにたいして吉本隆明の『言語にとって美とはなにか』においてこうした結論的な部分はとくにあるわけではなく、「序」においてはまだこうした言説を残すところまではいっていない。

あえてそうした部分を探すとすれば、つぎのような部分だろう。

> **言語の価値**という概念は、意識を意識の方へかえすことによってはじめて言語のうちがわで成り立つ概念で、その意味では言語は意識に還元される。しかし、言語の芸術的な表現である**文学の価値**は、意識に還元されない。意識のそとへ、そして表現の内部構造へとつきすむ。そこでは、意識の指示表出は、文学の構成にまで入りくんだ波をつくり、言語の自己表出は、この構成の波形をおしあげたり、おしさげたりして、これにつきまとうインテグレーションをつくっている。だから**言語の価値**を還元(reduzieren)という概念から、表出(produzieren)という概念の方へ転倒させることで、**文学の価値**はただ言葉のうえからは、とても簡単に定義することができる。**自己表出からみられた言語表現の全体の構造の展開を文学の価値とよぶ。**(『言語美II』三〇三―三〇四頁)

すくなくともここに吉本がこの理論書で述べようとしている基本の論点は見逃していないはずだ。この吉本の基本テーゼについてはまだここでは論じない。そのまえに検討すべき問題がいろいろ残っているからである。

2 『詩の原理』『言語にとって美とはなにか』の理論的脱構築の要請

二〇二二年は萩原朔太郎の没後八〇年ということもあって各地でさまざまなイヴェントがおこなわれたようである。たしかに近代詩人たちのなかで朔太郎はもっともよく読まれているほうの詩人であり、その詩意識と言語の意識的無意識的書法において現代詩の祖と呼ばれるに値する大詩人であることをいまさら疑うことはできない。わたしの言語隠喩論のフィールドワークの対象のひとつにいずれは繰り込まなければならない詩人であることは間違いないだろうが、いまはそのまえにかれの《思考の究極する第一原理を論述した》(『全集第六巻』八頁)と高言する「序」を頭に置く『詩の原理』について検討すべき必要をつよく感じている。わたしは『言語隠喩論』(未来社、二〇二一年)でも書いたように、萩原朔太郎『詩の原理』こそは日本はおろか世界においてもこれまで目論まれたことのない詩をめぐる初めての原理的考察であり、その後に現われた吉本隆明の『言語にとって美とはなにか』とともに詩の言語をめぐって本格的に体系的に論じた書物であるはずだからである。

もちろんこの両著ともに問題が多い書物であって、これらのいずれにたいしても細部にわたって論じ抜くことは膨大なエネルギーを必要とするだろうし、またそうした営為が必ずしも有益だとも思えない。そういうことならいずれ専門的な研究者が出てきてもらえばいい。ただし、刊行後すでに一世紀ちかく経っている『詩の原理』については北川透の先駆的な『萩原朔太郎〈詩の原理〉論』[1]があるだけであり、同じく六〇年ちかくになる『言語にとって美とはなにか』については断片的なものはあるにしろ、本格的な研究書と呼べるものがまだ出ていないことを考えてみれば、今後はどうなるか知れたものではない。わたしが知らないところになにかあるのかもしれないが、それならそれでよい。

わたしの関心はそうした文学史的研究にはない。わたしの『言語隠喩論』が示しているように、詩とは何ぞや（萩原朔太郎）とも、言語にとって美とはなにか（吉本隆明）ともちがって、言語そのものがもっている本質的隠喩性そして創造性とは何であるかという問題意識が最初にあり、そのもっとも完全な可能性が現実化されうる詩の言語においてそれを確認することであって、そういう意味では、詩の原理は言語の本質的隠喩性の解明のなかに包括されるべきであり、その原理は実際の個々の作品の現場において詩人の意識的無意識的言語構築のなかにそのつど発見的に見出されるべきものなのである。わたしがこれまで「言語隠喩論のフィールドワーク」と称していくつか進めてきた分析と解読（蒲原有明、立原道造、宮澤賢治、長谷川龍生、大岡信、清水哲男、金時鐘、八重洋一郎、パウル・ツェラン[2]）はこのことの実践なのであって、今後もこうした対象へのあくなき探究は悦びをともなって進められていくだろうと予感している。詩を読む悦びとはことばを読み解く発見でもあり、端的にことばの悦びに身をひたすことである。

したがって、こう言ってしまうと結論をすでに先取りしたかたちになってしまうように思えなくもないが、そうした分析と解読の楽しみをつうじてみずからの言語隠喩論をよりたしかなものにしていくことが求められているのであって、『詩の原理』や『言語にとって美とはなにか』をつぶさに検討することにあるのではない。『言語隠喩論』はおそらくこれまで誰も試みたことのない言語の本質的隠喩性をめぐるひとつの理論的考察としてはすでに成立した。これまで詩の言語をめぐって体系的とみなされてきた『詩の原理』と『言語にとって美とはなにか』と対立するものとしてではなく、それらの体系の組成を分解し言語隠喩論的に組み立てなおすことを課題としているのである。

菅谷規矩雄は一九七九年に書かれた短いが鋭い「萩原朔太郎——《詩の原理》の情況と論理」のなかで『詩の原理』についてこんなことを書いている。

《詩の原理》は、今日にいたるまで、ただのいちどもまともに批評されたことがないと極言したくなるほどに、萩原の著作のうちでは不遇のきわみにおかれたままである。萩原朔太郎を論ずる人びとは、たいていこの原論の書に、儀礼的な一べつと挨拶をおくるだけで、もっぱら敬して遠ざけるという態度に終始している。まともにあいてにしたら、じぶんもまた、手ひどい敗北を喫し、再起不能の憂き目をみることを、それなりに知っているからである。

★1　北川透『萩原朔太郎〈詩の原理〉論』筑摩書房、一九八七年。
★2　この試みはいくつかの論考とあわせて『ことばという戦慄——言語隠喩論の詩的フィールドワーク』として二〇二三年に未來社から刊行された。

萩原の《詩の原理》を〈批評〉するとは、とりもなおさずおのれが〈詩の原理〉への問いに責を負うことにほかならない。★3

さらにまた菅谷は『詩の原理』を《おそるべき不毛の書、まったき孤立無援の書、そして詩人たることの悲劇の書》（同前九四頁）とまで言ってのけているのである。この文章は北川透の前記『萩原朔太郎〈詩の原理〉論』が刊行される何年かまえに書かれていることに注意しよう。

いずれにせよ、北川も『詩の原理』の《偉容》と《空中楼閣めいたむなしさ》（同書一三三頁）を語りつつ、《『詩の原理』に正面からいどんでいるような評論、研究はほとんどない、いや、皆無という方が正確だろう》（同前一三四頁）とか《この魔法の箱〔『詩の原理』のこと〕に着目した評論は、意外に（という形容がおろかなほど）少い》《〔飯島耕一や那珂太郎の評論が〕すぐれた論考でありながら、『詩の原理』を全体的に対象にすることは、部分的な深い言及はあるものの、避けて通ることで共通している》《〔三好達治や伊藤信吉などにしても〕やはり『詩の原理』は無視あるいは軽視されている》（同前一三五頁）などと書いている。

そしてこうした無視あるいは軽視は『詩の原理』が刊行された時点においてはなおさらのものであったことは以下の朔太郎の「重版に際して」で知ることができる。

この書「詩の原理」は、私が長年月の精力と苦心を盡し、且つ大に自信を以て書いた著書にもかかはらず、詩壇的には、まつたく完全に默殺され、一の反響もなく批評もなくして葬られた。過去の努力と辛苦とに對し、この詩壇の甚だしい冷遇は、私を言ひ盡しがたく寂しくした。私は全く落膽して、一時は殆んど詩壇的に興味を失ひ、虚脱された人間のやうになつてしまつた。（『全集第六巻』一九八頁）

詩論書ましてや詩の原理論などは売れないし詩壇的に黙殺されるのはいまでもそうであることにたいして変わりはない。

この文章は初版刊行十年後の一九三八年に書かれたものだが、それでもこの引用のあとはこうつづくのである。

然るに此所に不思議なことは、詩壇で默殺されたこの書物が、出版まもなく初版千五百部を賣り盡し、後からまた重版を追ひかけるほど、盛んに賣れたことであつた。本が賣れるといふのは、どこかに熱心な讀者が澤山あるといふ事實である。（同前）

そしてそれは本質的な価値をまだどこかでもちつづけているだろうがゆえに、こうしていまあ

★3　菅谷規矩雄『近代詩十章』大和書房、一九八二年、九三—九四頁。

らためて論じられようとしているのである。

＊

萩原朔太郎の『詩の原理』が刊行当初、詩壇的に不遇であったのにくらべ、吉本隆明の『言語にとって美とはなにか』は『試行』で一九六一年の創刊号から一九六五年六月刊の十四号まで連載され、その年の五月と十一月に二巻本として勁草書房から刊行された。朔太郎と同じように、吉本が四十代はじめに刊行した本になる。朔太郎が『詩の原理』の刊行にあたって《版元のあてもなしに、書下しの著作に没頭》[★4]していたこととは大違いである。これは吉本の（とくに批評、思想の部門での）物書きとしての実績がすでにあり、当時の『試行』の定期購読者が一万人弱もいたということから出版社も売行きの心配をすることもなく刊行を進めることができたからであろう。そうは言っても、連載開始の時点から出版の約束があったとは言えないだろうから、連載の終了と相前後して単行本が出されるというのは、すくなくとも連載のどこかの時点で出版の話がまとまったからだろう。実際にどのくらいの初版部数だったのかはもちろんわからないが、『詩の原理』の一五〇〇部というようなことはないだろう。

だからと言って、『言語にとって美とはなにか』が最初から詩論としてどこまで読み込まれ、理解されたのかはわからない。おそらくキーワードである〈指示表出〉—〈自己表出〉という新奇な概念がひとり歩きしていったのだろうと想像することはできる。詩論書ましてや詩の原理論などは、吉本の場合はたまたま売れたとしても、すくなくとも一般にはすぐに十分な理解を得ることはできないのではなかろうか。なぜなら、この本も博覧強記の引用による文献渉猟の力わざを見せているために詩論としてのいささか危うげで怪しげな概念提起もその圧倒的な物量によってふつうの読者はわからないながらもわかったような気にさせてしまう膂力を具えているからである。(かつてのわたしもそのうちのひとりであったから、よくわかる。) そして厳密に言えば、この本は言語にとって美とはなにかというテーマをもつ文学論あるいはヘーゲル的な文学的美学の本なのであって、詩論と呼べる部分は全体からみればそんなに大きくはない。

吉本は角川文庫版の「文庫版あとがき」で『言語にとって美とはなにか』は《たぶん日本語で日本文学の表現としてははじめての、通史になっていると思う》(『言語美II』三三三頁) と書いている。吉本が豪語するように、たしかに吉本的表現論にそった通史という意味ではそういうふうに言えなくもない。しかしよくみれば、詩の原理論としては第III章「韻律・撰択・転換・喩」だけで、あとはその具体的応用篇と言っても言いすぎではない。わたしの関心がこのあたりに集中するだろうことはあくまでもわたしの問題意識に引きつけての話であって、最初から『言語にとって美とはなにか』を総花的に検討をする気も時間もないからである。わたしの意図するところはあくまでもこの本の言語隠喩論的読みなおし、あえて言えば脱構築的読解をおこなうことであって、

★4 三好達治『萩原朔太郎』筑摩書房、筑摩叢書1、一九六三年、二三〇頁。

吉本の論を祖述することではない。吉本も「序」の部分でこう書いているではないか。

本稿の特長は、何よりも誤謬があれば、どんな読者にも論理的にそれを指摘することができ、どんな読者も、本稿を土台にして、それを改作し、修正し、展開できる対象としての客観性をもっていることだ。(『言語美I』一八頁)

この吉本の潔さを信ずることができるとすれば、なにも臆することはない。わたしの理論的構築はこの本を《土台》にするというよりもそれを解体させてしまうことになるかもしれないが、吉本の論理がそのプロセスを許容しうるかぎり、この脱構築的読解は避けられないはずである。それは朔太郎の『詩の原理』についても言えることである。かれがめざしたのは《一般について何人にも承諾され得る、普遍共通の詩の原理》(『全集第六巻』一四頁)であって、個々の詩人が《一般的に甚だしく獨斷的で、單に個人的な立場に於ける、個人的な詩を主張してゐるにすぎない》(同前)ようなものとは根本的にちがうのである。すくなくとも詩の理論とは必然的に客観性をもつものでなければならないのは、理論は発展し批判的に検証されなければならない宿命にあるからである。

第一部　萩原朔太郎『詩の原理』

第一章　『詩の原理』の前史

1　蒲原有明との関係

北川透は三五年前に刊行した『萩原朔太郎〈詩の原理〉論』のなかで、朔太郎の『詩の原理』が刊行当時もいまもあまり研究の対象になっていないと嘆いている。詩が論じられるのとくらべて研究者レヴェルにおいても朔太郎の詩論が論じられないのはどうしてかと問うている。

『詩の原理』は、朔太郎の努力に値するような偉容において出現した。詩に関する理論の書として、これに匹敵するようなどんな書物が過去にあったか。《個人的の詩論ではなくして、一般について何人にも承諾され得る、普遍共通の詩の原理》はめざされ、それについて、哲学的な、あるいは文化論的な論理で基礎づけられようとしたのである。それはこれまでの詩人が、だれもなしえなかった偉容であるが、しかし、その偉容は同時に、空中楼閣めいたむなしさをかきいだいている。そして、いまからでは昔のパノラマ館のような古さとなつかしさを感じさせる。これを朔太郎の個性に帰するような条件を、わたしたちの詩史的な場所はもっていない。詩にかかわるすべての言説が、個人的なあるいは流派のための理論でしかなかったとき、《一般に普遍的に、どんな詩にもどの詩人にも、共通して真理である如き答解》を求める試みが、隔絶した力業を発揮すればするほど、徒労に似た作業になってしまったのだ。それは避けられないことであったが、避けられないという理解自体も断たれている。そこにこの書の深い孤立があるだろう。（北川前掲書一三三―一三四頁）

そして北川のこの〈詩の原理〉論が書かれたわけだが、その後の推移をみても今度はこの本もふくめて朔太郎の詩論が詩の世界でそんなに話題になったという記憶もない。だからというわけではないが、わたしは『言語隠喩論』のなかで、吉本隆明の『言語にとって美とはなにか』とともに朔太郎の『詩の原理』を日本近代以降のこれまでに論ずるべきただ二冊の詩的言語にかんする原理論と認定し、そこに書かれている問題を言語隠喩論の視点から批判的に検討しなければならないと宣言したのである。

＊

そこでまずは『詩の原理』に取り組むためにもその前史にあたる問題を片づけてみることから

始めてみたい。

萩原朔太郎は一九一七年（大正六年）一月に最初の詩集『月に吠える』を刊行する。それがおおいに話題になったこともあってか、詩論めいたものも同時に書きはじめる。そうしたうちのひとつが『文章世界』一九一七年五月号に発表された「三木露風一派の詩を放追せよ」である。そのタイトルからも想像されるように、北原白秋に代わって詩壇の中心にのしあがりつつあった三木露風を中心とする日本象徴詩派にたいする激越な批判である。朔太郎は露風の詩について《一言でいへば、一種のありきたりの型にはまつた所謂「詩人らしい神秘思想」》（『全集第六巻』二八五頁）であり、《昔から髪の毛を長くした西洋の詩人によつて何百回となく繰返し繰返し歌はれた思想で、所謂「詩人らしい思想」といふ定義のついてしまつたほど月並な類型的思想》（同前二八六頁）と容赦なく批判する。さらには《私はこの類の思想及びそれらの古い詩を「ごまかし」だと斷言する。何故かといふに、此種の思想（？）は、それが極めて不鮮明で縹渺として居る所に一種の情調が存在するのであつて、若しそれを白晝日光の下に曝した日には、殆んど見るにたへないほど愚劣な物質に變化するものである。》（同前）《結局、彼等の詩は矢張「思ひ出」時代の詩と同じく「情調のための情調詩」にすぎないばかりでなく、その時代の者より遙かに幼稚で全く取柄のないガラクタだと言ふことに定まつてしまふ》（同前二八七頁）とたたみかけている。

三木露風は朔太郎より三歳下で当時まだ二十八歳。朔太郎も三十一歳である。いまからみればずいぶん若いが、北原白秋だって朔太郎より一歳上にすぎない。朔太郎はいろいろあって詩壇に出遅れたところがあるから、多分に嫉妬のようなものがあったかもしれない。とにかく露風にたいしては批判というより罵倒である。朔太郎は詩論においては相当に過激なのである。

　おもしろいのは、ここでの朔太郎においては露風への批判はあっても同じ象徴詩派の中心人物であった蒲原有明にたいする批判はまったくないことである。この文章のなかで有明について言及しているのはただ一箇所であり、北原白秋の詩集『思ひ出』について《「思ひ出」は蒲原有明氏以來日本象徴詩派の宿題であつた情調本位の抒情詩を完成した詩集であつた》（同前二八五頁）と書いているだけで、そこに批判は含まれていない。有明は一八七六年生まれで朔太郎より十歳年上の、当時としては大先輩にあたる。その有明に朔太郎は『月に吠える』刊行にあたって序文を依頼しているが、実現しなかった。

　このいきさつは朔太郎が福原清という詩人[★1]への私信のかたちで発表された「蒲原有明に帰れ」というエッセイのなかに書いていることで明らかとなる。なお、このエッセイは『月に吠える』刊行後八年もたった一九二五年（大正十四年）四月に『羅針』に発表されていることに注意したい。


蒲原有明は僕の崇拝する唯一の詩人。貴君がそれに着眼されたるは流石です。實をいへば詩

★1　福原清は神戸の詩人で竹中郁とともに二人だけの詩誌『羅針』を大正十三年（一九二四年）に神戸で創刊し、萩原朔太郎ほかに寄稿をもとめている。『竹中郁全詩集』角川書店、一九八三年、の「解題」参照。この情報を教示されたたかとう匡子さんに感謝したい。

集「月に吠える」出版の時、序文を是非蒲原有明先生にたのみたく再三書簡を以て懇願したるも返事を下さらないので、遺憾ながら意を果たさなかつたやうなわけです。かく僕が蒲原氏の序を切望したるは、僕の詩を以て蒲原氏の新しき正派を自任したからです。（同前四〇五頁）

と書いていることでわかる。そしてその依頼が不首尾に終わった経緯もそこに書かれている。或るひとからの風聞として――

蒲原氏は痛く僕に惡感を抱いてゐるさうです。然してその理由は、僕が嘗て蒲原氏の詩を惡罵したといふのださうです。これ實に意外のことで、勿論、僕にとつて全然おぼえのないことであるから、よく調べてみた所、かつて僕が文章世界で三木露風氏及びその一派を極端に罵倒し、當時の詩壇の所謂「象徴詩」なるものを徹底的に排斥した。然るに後になつて聞けば、三木露風氏の一派は自ら「蒲原有明の正流」と稱し、彼等の「日本象徴詩集」なる書物にも、日本の象徴詩の開祖は蒲原有明で、これを傾倒して發展したものが露風氏及びその一派であると書いてあります。これによつて思ふに、僕が露風氏等の所謂「象徴詩」を痛撃したことが、間接に蒲原氏の耳に誤傳され、當時既に詩壇を退いてゐた蒲原氏にまで誤つて自家のこととして偏解されたのらしい。風説によれば、僕からの序の依頼をみて蒲原氏曰く

「人の藝術を惡罵しておきながら、その同じ人に對して序をたのむとは圖々しい奴もあつたものだ」と言はれたさうです。（同前四〇六頁）

と書かれている。《當時既に詩壇を退いてゐた蒲原氏》というのは、蒲原有明が一九〇八年（明治四十一年）に『有明集』を刊行したあと、早稲田系自然主義派の相馬御風、加藤介春、人見東明ら《客気と成心にみちた一群の青年詩人たちから集中攻撃[★2]》を受けてスランプに陥り、若くして現役引退したような状態になってしまったことを指している。そんな被害妄想気味の有明にとって朔太郎の三木露風批判が自分にもかかわっていると思えてしまうのは当然だったにちがいない。

朔太郎としてはとんだ誤算だったわけだが、彼にしてみれば、有明と露風とは《詩格に於ても詩想に於ても、全然別個のものに屬し、更に相關する所なし。詳説すれば、蒲原氏の詩風は浪漫的にして、しかも情緒の濃厚なる神祕的気韻を特色とするのに露風氏及びその一派の所謂「象徴詩」なるものは、全然古典的、理智的にして、何等の夢幻的情想も浪漫的情緒も有せず》（『全集第六巻』四〇六―四〇七頁）として後者をフランスの高踏派（象徴詩派前派）とし、有明こそ象徴詩派(サンボリスム)だというのである。そして文章の最後には《とにかく蒲原有明氏は、今日の詩壇の先駆者であつて、永遠に價値を有する天才です。今日の無内容な詩壇に向つて言ひたいことは、實に一語「蒲

★2　渋沢孝輔『蒲原有明論』中央公論社、一九八〇年、三〇七頁。

原有明に歸れ」である》（同前四〇七頁）とあるとおり、このエッセイ（私信）が発表された一九二五年五月の時点では蒲原有明への評価はゆるぎないものがあった。
ところがおかしいのはそれから二か月後の『歴程』七月号で発表された「日本詩と日本詩人（草野心平君への書簡）」ではこの評価が一変する。

御指定の蒲原有明氏について、小生は評論的興味を持たないので、正直にお斷りする外ありません。有明氏の詩藝術は、その言葉の鮮新さと、フォルムの獨創性とに於て、當時の詩壇に一大新聲を與へたもので、小生も過去に於て、深く氏の藝術に私淑敬嘆致しました。まことに或る人々の言ふ如く、この點の功績に於て、有明氏は「日本近代詩の父」にまちがひありません。そしてこれだけのことならば、小生にも書けるのですが、それ以上の本質問題、即ち氏のポエヂイが根據してゐる人生觀や宇宙觀やの哲學が、正直に言つて小生には不可解なのです。つまり言葉を換へて言へば、かうした有明氏の詩藝術が、どんな生活意欲によつてどんな必然の個性的モチーフで書かれたかが、今日までの研究では、小生によく解らない謎なのです。そしてこの祕密が解らないといふことは、つまり有明氏の藝術そのものが、本質的に解らないといふことになるのです。（同前四〇七―四〇八頁）

たった二か月のあいだにどうしてこんなにも大きな評価軸の変更があったのだろう。もちろん雑誌発行と書かれた時期とには往々にして大きな時間差があることは考えられる。しかし、いずれにしてもそれほど長い時間を経ていることはやはり考えにくい。この蒲原有明評価にはたんに有明にかんする問題以上の大きな変化を想定したほうがいいだろう。それにはいま引用した有明論執筆辞退の部分だけでも十分に想定できるが、さらにこの部分のうしろで書かれていることがヒントになるだろう。

詩の本質的な肉質といふものは、何よりも第一に、作者の「生活」であるわけです。根柢に生活のないエキゾチックは、藝術の上のヂレッタンチズムに過ぎません。所で明治以來の詩といふ文學が、結局このヂレッタンチズムの産物にすぎなかつた。忌憚なく言はせてもらへば、蒲原有明氏の詩の如きも、やはりこのヂレッタンチズムの一種――しかもその最も高級な一種――でした。（中略）小生にとつて、有明氏の詩が不可解であるといふのは、つまりこの點の本質的な詩精神（作者の主觀的な生活や哲學）が、作品に表現されないことを見てるからです。（同前四〇九頁）

有明の《浪漫的にして、しかも情緒の濃厚なる神祕的気韻》への評価を取り下げて、詩の根底に「生活」を置くという朔太郎の思想的転回はその三年後に刊行される『詩の原理』の執筆過程での、これまでの詩への考えかたの大きく急激な変更――〈藝術のための藝術〉ではなく、〈生活のための藝術〉という力点移動——を背景にもっていると考えるのが妥当だろうと思えるが、いまはまず蒲原有明をめぐる朔太郎の評価軸の変更がどのあたりに起こっているかを確認しておけばたりるだろう。

ただこれにはおもしろい後日談がある。

飯島耕一の『萩原朔太郎』は『短歌』一九七三年十一月号から十四回連載されたものが一九七五年に角川書店から刊行されたらしいが、わたしが読んでいるのはみすず書房から二〇〇四年に新版として二冊同時刊行されたもので『萩原朔太郎』1、2[★3]に収録されたものである。これはなかなかよく書けた朔太郎論であり、その時代の周辺情報もしっかりと書き込まれたすぐれた業績である。

この朔太郎論でも論じられている朔太郎と蒲原有明の関係について関連する情報がふたつほどある。

ひとつは、朔太郎が「蒲原有明に歸れ」で有明を絶賛したあと、その二か月後に『歴程』に発表されたさきの「日本詩と日本詩人」でそれに相反する有明批判を書いていることの不思議さについて、飯島によれば、昭和十四年(一九三九年)ごろの朔太郎は前年に佐藤春夫や保田与重郎、中河与一、林房雄らと「新日本文化の会」の機関誌『新日本』の編集委員となっていたことから「日本主義者」と批判されたことにたいして弁明を書いていて、どうもそういった流れのなかで蒲原有明のような古い詩人を評価していないように思わせる必要があったのかもしれない。飯島はそうは書いていないが、そのあたりの朔太郎は《最悪の状態に入っていた》(『萩原朔太郎1』一三一頁)と飯島は見ているので、理解するにもかなり困難な文章になっているということになる。《朔太郎はこの時、弁護の余地なく荒廃していたとしか言いようがない》(同前一三三頁)とまで飯島は書いている。しかし、晩年の朔太郎は実際には有明評価を変えてはいなかったことがいろいろ確認されている。

もうひとつは、蒲原有明自身も『四季』の朔太郎追悼号(昭和十七年〔一九四二年〕)にこんな文章を寄せていることである。

萩原君の第一詩集『月に吠える』を当時同君より寄贈をうけて読んでからすでに三十余年の長年月が経過してゐます。ただ集中詩篇のかずかずに、異常な意志の力と張り切つた神経の作用とを感得、ここに新詩人の出場をはつきりと見てとりました。その印象が今に残つてゐて少しも消滅しません。いかに強く感動したかは、それによつて御想察をねがひます。(同前より孫引き)

そして有明は《十余年前の或日に萩原君の訪問を受けた》ことも記しているようである。そう

★3 飯島耕一『萩原朔太郎1』『萩原朔太郎2』みすず書房、いずれも二〇〇四年。

すると、朔太郎は有明に『月に吠える』序文を依頼して断られたあとに、昭和のはじめごろに有明を当時、有明が隠棲していた静岡まで訪ねていたことになる。このふたりの関係はなかなか一筋縄ではいかないのである。

2　朔太郎における散文コンプレックス

萩原朔太郎に「詩は文學の母體」（一九二六年）という短い詩論がある。これは『詩の原理』刊行の二年ほどまえに発表されたもので、同じような論旨のものはほかでも何度も繰り返されている。『詩の原理』にもこれに類するものはあるが、この詩論ほど顕著なかたちでは言説化されていない。そういう意味では萩原朔太郎の根底にある原理的なコンプレックスが露出しているものと見ることができる。

この詩論はこんな文章からはじまる。

> 詩といふものは不思議のものだ。見方によつては、文學の中で最も高級なもののやうにも思はれるし、見方によつては、またその反對のやうにも思はれる。

何しろ、詩はあらゆる文學の母體である。世界の文學史上からみても、人文のいちばん最初にあつたものは詩である。上古にはただ唯一の詩——即ち韻文——があつた。どこの國の歴史でも、散文の發達はずつと詩におくれてゐる。ギリシヤの歴史をみても、昔の文學は詩ばかりであつた。(『全集第六巻』三九五頁)

そこには叙事詩、抒情詩、劇詩、諷刺詩があり、《古代に於ては、文學の表現する一切が皆詩、即ち韻文で書かれたのである。》(同前三九六頁)

これは詩の発生が言語の発生につづいて起ることで、どんな本にも書かれている。わたしはこれをたんに詩＝言語の発生としないで、言語の発生＝隠喩の発生から詩の発生が導かれたことを『言語隠喩論』の「序章　隠喩の発生」で述べたのだが、そこまではよい。

つづけて朔太郎は書いている。

然るにその後、散文が次第に發達するやうになつてからは、唯一の詩の母體が分裂して、それぞれ散文の領域に食はれてしまつた。即ち叙事詩は傳記や傳説の散文となり、抒情詩は今日の所謂戀愛小説に變つてきた。そして劇詩は散文の戯曲となり、諷刺詩は散文のエッセイや警句に變つてきた。(中略)その内容を取り扱ふ手法の自由と適確から、散文の方が遙か詩にまさつた長所をもつてるために、詩としての表現は次第に廢れてきた。たとへば戀物語を書くにしても、韻文の抒情詩で書くよりは、散文の戀愛小説として書く方が面白く、且つ表現が自由で適確であるために、讀者も好んで小説の方をよむし、藝術的価値からも、その方が進歩した形式だといふことが解つてゐる。(同前)

朔太郎の詩論に根本的に欠けているのは言語の本質をめぐる思想である。はじめに詩があり、それが散文の形をとって発展すると、詩が衰退するというきわめて粗放な解釈をとってしまうことである。そこから文壇における詩および詩人の低い評価にたいするルサンチマンが爆発する。

それで詩といふものは、表現の上からみても「散文以前の形式」であり、一の原始的な、未發達の、開明時代の文學にすぎないのである。それ故に或る人々が、しばしばこの點で詩を軽蔑するのも一理がある。それらの軽蔑する人は言ふ。詩は最も幼稚な表現であり、文學の最下級に属するものだと。或は言ふ。散文の書けない奴が詩を書くのだと。或はまた言ふ。詩は散文への踏台である。少年時代に詩を作り、青年に入つたら散文に入る。即ち小説や戯曲を創作すべく、まだあまりに子どもらしく、智慧や経験の足りないものが、その準備として詩を書くのだと。(同前)

情けないことに途中まですべてがこの調子である。ここにあるのは詩から小説その他への言語の展開を進化・発展とみる、なんの根拠もない議論への同調あるいは屈服しかない。朔太郎の時代の自然主義的文学の覇権主義的な拡張にたいする感情的な反撥と負け犬的な憎悪がそこには見られるだけで、詩の言語が言語の本質的隠喩性すなわち創造性に依拠するものであり、小説その他の散文性の二次的意味性＝既成の価値への従属という言語の本質論がないために無用なコンプレックスに陥っているだけなのである。たしかに受動的な一般読者大衆というものはそうしたわかりやすい通俗的な意味の世界のなかにある散文的言語作品に傾きがちであるのはいまにいたるも同じであって、朔太郎の時代が特別にそうであったわけではない。そもそも朔太郎は〈詩壇〉〈文壇〉ということばを使いすぎる。それはもちろんそういう権威というか数にまかせた渡世上の軽薄な論理の世界にすぎないのに、朔太郎はそういうルサンチマンの世界から脱却できない。だから《藝術的に全く低能児で、到底文學者たる資格のないやうな人間でも、ふしぎに詩だけは皆作つてゐる。》(同前三九七頁) などと言わずもがなのことまで口に出してしまう。そんなことはいつの時代にあっても同じなのだ。

しかし朔太郎はここで突然、居直るのである。

> 古代の詩は皆散文に食ひ込まれ、ちりぢりにその母體を分裂してしまつたけれども、詩の本質的要素たる核心だけは、依然として後に残り、決して散文に害されなかつた。その核心とは何だらうか？　物心の本相を適確に、印象深く、しかも直接人の情緒に訴へて迫るリズミカルな表現である。散文の異常なる發達は、たしかに叙事詩や劇詩からして、かかる表現的

特色の一部を奪つてしまつた。しかしながらそのリズミカルな効果だけは、決して奪ふことができなかつた。（同前）

要するに詩は、文壇に於ても個人に於ても、それの踏出しの最初のもので、同時に次のエポツクを生み出す所の、前のものの到達する終点である。即ち詩は散文の終る所に始まつてゐる。故に小説でも戯曲でも、すべての散文の理想は詩にあるので、彼らが現在する詩に接近し、遂にそれを散文化し、食ひ殺してしまつた時、始めてその時期の完成に達したのである。（同前四〇〇頁）

こうして散文の行きつくところは詩であるという朔太郎の願望によって詩が回復される。

散文作家は、どんなに偉くとも畢竟一種の能才[★4]にすぎないので、實の天才と言ふべきものは、ただすぐれたる詩人の範疇に見るのみである。文壇における第一流の天才は、常に必ず詩人であり、第二流の常識的天才（即ち能才）が小説や戯曲の散文作家で、しかして第三流以下の低能がまた詩人であつて、その中間の常識地帯が散文家である。（同前四〇一頁）

もうここまでくると、朔太郎の論理はまったく破綻している。詩人と散文作家が二項対立的に存在しているのではなく、詩的言語と散文言語があるのみであって、そこには言語の本質的隠喩性たる創造性の意識がその言語のなかにどういう位置づけで配置され、分配されているかが問われるべきなのである。言うまでもなく、散文作品のなかにはここぞという場面で言語の隠喩性がきらめくことも多いし、逆に詩とされる作品のなかにすこしも隠喩的創造性が見出されないものも多いのである。要は書き手の言語意識が創造的な言語作品を創出しようとして言語それ自体のもつ隠喩性にどこまで同期しうるかという差異にすぎない。もちろん詩という言語行為自体が言語の二次的意味性＝通俗的な意味性をあらかじめ拒否するかぎり、詩が原理的優位性をもちうることは言うまでもないが、そのぶん一般的理解をそれだけ遠ざけるという隘路を踏み越えるべく宿命づけられていることも間違いない。

萩原朔太郎はそこの問題を原理的に理解することができなかった。

★4　このことばは夏目漱石においても同じ意味で使われているが、漱石はこれを模擬∧能才∧天才という範疇に分けて、能才の意識とは《数において（模擬の意識）に劣る事多し。然れどもその特性として、（模擬の意識）の到着地を予想して一波動の先駆者たるの功あるを以て、概して社会の寵児たり。利害より論ずれば箇より安全なり。但しその特色は独創的といはんよりはむしろ機敏を評するを可とす。機敏とは遅速の弁に過ぎざるを以て、遅速以外に社会に影響を与ふる能はざるを例とす。通俗の語を以てこの種の人を品すれば才子といふが尤も適当なるべし。》（『文学論（下）』岩波文庫、二〇〇七年、二四五―二四六頁）と痛烈に批判しているのがおもしろい。朔太郎もそういう意味で使っているのだろうか。

3　朔太郎におけるリズム論の破綻

萩原朔太郎は『詩の原理』を一九二八年（昭和三年）、四二歳のときに上梓するまで十年にわたる書き直しの努力を払っている。三十歳代前半からの試みだから詩的出発のおそい朔太郎としてはわりと早くからこの原理論的詩論に取り組んだことになる。生前未発表の「ノート」[★5]には『詩の原理』の草案をはじめ、哲学的なものもふくめておびただしい研究の痕跡があるから、朔太郎の詩論家としての野心は並々ならぬものだったと言っていいだろう。朔太郎は『詩の原理』の「序」でこう言っている。

> 思ふに「詩」といふ言語ほど、従来廣く一般的に使用されて、しかもその實體の不可解であり、意味の摑へどころなく漠然としたものはないであらう。本書はこの曖昧をはつきりさせ、詩の詩たる正體を判然明白に解説した。（自分の知つてゐる限りかうした書物は外國にも無いやうだ。（同前八頁）

たしかにこのような詩的言語についての原理論的な詩論の試みは古今東西でも類書がないことはたしかである。しかもこの本は二千枚にも及ぶ反古原稿の末にまとめられたものであって、当時としても画期的なものであったにもかかわらず、残念ながら最初は朔太郎の意気込みとは裏腹になかなか理解されなかったし、いまからみれば混乱と錯誤に充ちていることも否めない。しかし、こうした試みがあったからこそ吉本隆明の『言語にとって美とはなにか』のような書物も生まれたし、わたしの最近の仕事である『言語隠喩論』も可能になったところがある。

大岡信は『詩の原理』について《古代以来の日本の詩歌史上はじめて、実作においても一流の詩人によって書かれた体系的・原理論的な詩学の書であったところに大きな意味がある。》[★6]《独力で日本の詩を原理的に論じようという朔太郎の意図は貴重で、それに着手し実行したことは根本的に正しかった。彼は、日本の詩人たちがそれ以前にだれ一人なし得なかった企てを、萩原朔太郎という哲学好きの近代詩人の思弁作品として実現したのであり、それは彼の栄光にほかならなかった》(同前一八六頁)とその試み自体を高く評価している。

萩原朔太郎は『詩の原理』刊行以前に各種の雑誌にこの原理論の一部ともなりうる、あるいはその布石にもなりうる詩論的文章をいくつも書いている。それらが『詩の原理』に組み込まれるさいにさまざまに再検討されて、そのうちのあるものは廃棄されたり取り込まれなかったりしている。そういうもののうちで、韻律あるいはリズムというような概念は『詩の原理』以前ではかなりのウェイトをかけて論じられ、いくつかの論争文も書かれていたにもかかわらず、『詩の原理』においてはほとんど論じられなくなっていく。このあたりをすこし調べておく必要を感じる。

★5 『萩原朔太郎全集第十二巻』筑摩書房、一九七七年/補訂一九八七年。
★6 大岡信『萩原朔太郎』筑摩書房、近代日本詩人選10、一九八一年、一八三頁。

朔太郎は「調子本位の詩からリズム本位の詩へ」という初期の文章（一九一七年〔大正六年〕）でまず調子本位の詩を批判する。

詩、特に口語詩を作るものは、勉めて調子本位にならないやうに注意しなければならぬ。元來言葉と言ふものは、感情が昂奮してくるに従つて調子づいてくるものであるから、作家はうつかりして居ると、どうしても調子本位のものを書いてしまふやうになる。さういふ場合に多くの人は、自然調子にひきづられて「調子のための調子」を生み出すやうになり易いのである。所がかうした調子本位の詩では、どうしてもほんとの内部的な力強い感情や複雑したリズムを表現することができない。かうした詩では感情が外部的に流れてしまつたり、或は一本調子になつたりして、ほんとの微妙な生命の呼吸をつたへることが出來ない。（『全集第六巻』二九五頁）

ここでは同時代の詩人たちの詩のほとんどが調子本位であって、高村光太郎は《美しいけれども、惜しいかな陰影を缺いて居る。順つて奥行が淺く平面に見え易い》、福士幸次郎は《調子が克ちすぎて居る。順つて空景気ばかり強くてしつくりした味が出て居ない》、加藤介春は《變化が少なくて単調になり易い》、百田宗治は《まだ幼稚な感激派で焦燥的な調子本位である》、武者小路実篤ほか白樺一派は《まるで甚だしい一本調子の幼稚極まる詩》といった具合で、《感情が調子づいてくる時、言葉が二つも三つも重なつて行と行とが背ぞろひをしてくるものである。(中略)いつまでもそれをはふつておくと、いつのまにか感情の方がその調子にひきずられて、調子が惰性になつてしまつて居る。かうなると最早調子本位である》(同前二九五―二九七頁)といった具合で、朔太郎は同時代詩人たちをこう批判する一方で、同人仲間である山村暮鳥や室生犀星の詩にはリズム本位のものがあると肯定するが自分の詩は《まだ駄目だ》としつつ《調子本位になることだけは勉めて避けて居るつもりである。調子はリズムの一部分にしかすぎない。その調子に浮かされて本流のリズムを逸してしまふことを恐れて居る》(同前二九六―二九七頁)と戒めている。この論文の段階ではまだ調子本位に代わるリズム本位というものがどういうものであるかは朔太郎にも十分に理解されているようには思えない。言えることはせいぜいつぎのようなものでしかない。

何よりも肝心なことは、言葉のひとつひとつ、「いろはにほへと」の一語一語、またその二つ以上の音の重り、日本言葉の陰影の深い綴り方について、音韻のひびきに深く耳を傾けることである。

心の中のリズムと、言葉の一語一語のリズムとをぴったりと重ね合すことを怠つてはならぬ。(同前二九七頁)

そして《日本の口語でリズム本位の自由詩を作るといふことは、今迄にかつて例のないことであるから殆ど非常なる困難事業である》（同前二九八頁）と弱音を吐いているぐらいだから、朔太郎本人としても展望があるわけではないのである。

ここでは調子本位の詩ではダメで、それに代わるものとしてリズム本位の詩があるべき詩として考えられているにすぎない。しかも《調子はリズムの一部分》にすぎないと言わざるをえないのであるから、批判と主張のみが先行して理論が追いついていないのである。

朔太郎はおそらくこの時点ですでにリズムについてのさらなる理論的考察の必要をつよく感じていたはずである。三年後の一九二〇年（大正九年）に書かれた論文「リズムの話」とその翌年（一九二一年）の「詩歌の形式論者に問ひ併せて詩の本質を論ず」はそうした研鑽の成果であろう。とはいえ、これらの論文でも朔太郎は試行錯誤をくりかえしている。まずは「リズムの話」から。

> 人も知るやうに、リズムの語義は「韻律」といふことである。韻律とは何かといふに、簡單に言ふと「調子」のことである。では調子とは何かといふに、（中略）一定の時間的反復をする音の進行、即ち調子間（タイム）と加聲（アクセント）とを持った音の正規的過程である。（同前三二九頁）

つまりリズム＝韻律＝調子で、このさいの目安としては時計の時を刻む音や列車のレールをまたぐ音のようなリズミカルな音だという。こんなふうに拍子（トーン）とリズムでは感じがちがうと言ったうえで、《韻律（リズム）の概念を正確に言へば「拍子の連なり」又は「拍子の流れ」である》（同前三三〇頁）としたりするといった具合である。そしてとどのつまりは、日本語には中国語における平仄もなければ西欧語のリズムもなく、詩語においては《言葉の色調（ニュアンス）》があるだけだ、ということになる。

> 言葉の色調、それは外部に現はれた韻律ではなくして、内部に於ける韻律――感じとしての、韻律――である。（同前三三六頁）

これが朔太郎の苦し紛れの発見であることは認めてもいいが、これを一般的に韻律（音律）と呼ばれる外部の韻律にたいする内部の韻律というのはすでにリズムという概念から大幅に逸脱している。こういうふうに内部の韻律として〈言葉の色調〉を設定してしまえば、外部の韻律＝リズムにたいして〈感じ〉という概念、〈個性〉という概念、〈美あるいは趣味〉という概念も内部の韻律として抱えこむことができる、というわけになる。

> 要するにリズムといふ言葉は、その本來の語義に於て音韻や調子を意味し、轉化した語義に於て情緒や美や、趣味や個性やを意味している。明白に言へば、第一義のリズムは「形の上

での詩」に相當し、廣義のリズムは「詩そのもの」を意義してゐる。(同前三四〇頁)

自分は、是非とも廣義のリズムと狹義のリズムとを區別して使用する必要を認めてゐる。狹義のリズムを、外部律若しくは韻律と呼ぶに對し、廣義のリズムを内部律と呼びたいと思ふ。(同前三四一頁)

こうなってくると、日本語の詩においては内部律という〈言葉の色調〉があるだけになるのであって、ここではもはや「リズムの話」にはならないのである。

つぎの論文「詩歌の形式論者に問ひ併せて詩の本質を論ず」はこの「リズムの話」をすこしだけ拡張しただけで、朔太郎はもはや自信をもってこの広義のリズム概念をふりまわすだけになる。

作品に於ても、作家に於ても、吾人に「詩」といふ感じを強くあたへるものは、どこかしらに或る非現實的な気分をもつたもの、人の情緒を強く呼び起すもの、ある理想に憧憬する意志をもつたもの、浪漫的なもの、直感的叡智に富んだもの、自然の美を描いたもの等であり、即ち約言すれば、美學上の所謂「美感」に富んだものである。(中略)要するに「詩」と「詩ならざるもの」との差別は、内面的にみて「美感」と「實感」との差別に外ならない。(同前三五九―三六〇頁)

もうここまできてしまえば、詩は美感であるということになるだけで、およそカント的な解釈にとどまることになる。そうなると詩をめぐる真理とは《詩はリズムである。リズムは詩である》（同前三七二頁）と短絡するしかない。

こうしたリズム概念の内部の韻律という概念への収束ということになれば、さすがに朔太郎もこれを最後まで押し通すことはできなかった。『詩の原理』の「概論」でリズムへの注として朔太郎はつぎのように書かざるをえなくなっている。

> 詩のリズムを解して、心に起る浪の音波など言ふ人がある。これ形式を内容に移して説いたもので、この思想から自由詩の所謂「内部韻律（インナアリズム）」といふ如き観念が生ずるのである。だがかうなつてくると「韻文」の語義が益々不可解になる。（同前一六頁）

詩における韻律（音律）、調子、リズムなどの問題は朔太郎において結局は理論化することができないまま、破綻したことを認めざるをえなかったわけである。『詩の原理』においてはもはやこの概念は消滅し、〈韻律なき韻律〉というふうに無難なだけで無意味な概念化にとどまることになる。

日本語の詩においては、朔太郎ならずとも、リズム、韻律という概念は定義することがむずかしく、結局は定型詩にみられるように、日本語の等時的拍音形式（時枝誠記）にもとづく音数律にしか依拠することはできないのではなかろうか。

4　詩的原理論の宿命

いつ読んだのか記憶も記録もないが、ひさしぶりに三好達治『萩原朔太郎』を読みなおした。萩原朔太郎の『詩の原理』を検討するためで、いろいろな朔太郎論を読みなおしつつあるところで、ついでにこれも、という軽い気持ちで読み返してみたところだが、なかなかどうして、朔太郎に身近に接してきた弟子として、師匠のナマの声とその独特な振舞いを記録していておもしろい。みずからは《垣根にまぎれこんだてんとう蟲の一ぴき》（「あとがき」、同前二八〇頁）にすぎないと称しているが、ここまで長年にわたって朔太郎につきあうというのも稀少で貴重な経験だろう。稲子夫人から《近ごろ書生さんを一人おいてゐるやうな気がする》（「後記二」、同前二七〇頁）とも言われていたらしいから、その出入りも相当なものだ。

この本は、三好が朔太郎の死後、雑誌に回顧録として書いたものや全集の後記のようなものをひっくるめて集成したもので、主として朔太郎の詩の評価とさまざまな挿話などが書かれていて、三好らしく謹厳実直な字句のあげつらいや生活態度の観察がリアルに描かれている。巻末の伊藤信吉「三好さんとの二十年」を読んでみても、朔太郎が気のおけない年下の友として三好を遇していたことがよくわかる。とはいえ、この本で『詩の原理』についてはほとんど出てこないのは先に北川透が指摘した通りである。それでも随処に関連したエピソードが出てくるので、重要なところを以下に摘記しておこう。

萩原さんは、仕事に夢中になるとがらりと様子が變つて、夜分の晩酌くらゐはつづいてゐたやうだが、いつさい門外不出で、朝つぱらから机に噛りつきで、いつかう疲労の色もなくいつまでも熱心に書きつぎ書きつぎ仕事をつづけてゐられた。そんなことが一ヶ月の餘、二ヶ月にも亙つた。『詩の原理』の出來たのは全くそんな風の一気呵成の仕事ぶりの結果だつた。
(「萩原さんといふ人」、同前一九六頁)

『詩の原理』が十年ぐらいかけて三度ほど全面的に書きなおし、反故にしては書きなおしてきたあげく、最後は一気に新しく書きおろされたことはよく知られている。それはおそらくこの三好のことばが示す通りだったのだろう。『詩の原理』の「序」の冒頭にも《本書を書き出してから、自分は寝食を忘れて兼行し、三箇月にして脱稿した》(『全集第六巻』五頁)とある通りである。さすがの稲子夫人も《この頃、少し尊敬して上げたいやうな気持もするわ》(「萩原さんといふ人」、三好前掲書一九七頁)と言わしめたほどなのである。詩人の妻の理解とはだいたいそんなものだろう。

もうひとつ驚いたことは、この原理の原稿を書き上げたあとに朔太郎が《さあ、これから、出版屋を探さなくつちや……》と言ったという話である。三好も書くように、《版元のあてもなしに、書下しの著作に沒頭してゐられたのであつた》（「假幻」、同前二三〇頁）ということである。

詩の原理論などというものは朔太郎の時代はむろんのこと、いまにいたるも誰にも要請されることはない。吉本隆明の『言語にとって美とはなにか』にしたってみずから発行する『試行』に連載されたわけであるし、そしてわたしの『言語隠喩論』もまた同じであった。ジャーナリズムというのはもともとそうした原理的思考については興味も理解も示さないのが通例だから、期待してはいけないのである。それでもさいわいにして朔太郎の『詩の原理』は比較的はやく、おそらくその年の暮れに第一書房から刊行された。

そして朔太郎が稲子夫人に逃げられて離別したのはその翌年だった。

第二章　『詩の原理』がめざしたもの――その限界と到達点

1　『詩の原理』の構成

わたしは前章で萩原朔太郎が『詩の原理』を刊行するまえにさまざまな雑誌に書いた詩論を、それが『詩の原理』の論旨に直接間接に関係するというかぎりにおいていくつかの論点の検討をおこなってみた。そうした論点のいくつかが変奏されて『詩の原理』に導入されているのではないか、という観点からこうした点検をおこなっておいたわけである。ここではあらためて『詩の原理』とはどういう構成と論点をもっているのかを、煩瑣をいとわず整理と確認のための引用をしておこう。これは今後の議論を構築するために便利な指標とするためである。

『詩の原理』の目次は「序」と「――讀者のために――」（これに十年後に追加された「新版の序」が全集第六巻に収録されている）、つづいて「概論」として「詩とは何ぞや」があり、本文として「内容論」十五章、「形式論」十三章、そして「結論」として「島國日本か？　世界日本か?」という構成になっている。全集版では最後に「重版に際して」が付録についている。

＊

・「序」――ここでは『詩の原理』にいたりつくプロセスがいかなるものであったかについて、またこの本の意図したものを述べている。重要な証言と考察がいくつも出てくる。

《本書を書き出してから、自分は寝食を忘れて兼行し、三箇月にして脱稿した。しかしこの思想をまとめる爲には、それよりもずつと永い間、殆ど約十年間を要した。》(『全集第六巻』五頁。冒頭)

《いかに永い間、自分はこの思想を持てあまし、荷物の重壓に苦しんでゐたことだらう。考へれば考へる程、書けば書くほど、後から後からと厄介の問題が起つてきた。折角一つの岩を切りぬいても、すぐまた次に、別の新しい岩が出て來て、思考の前進を障害した。すくなくとも過去に於て、自分は二千枚近くの原稿を書き、そして皆中途に棄ててしまつた。》(同前)

《自分はこの書物の價値について、自ら全く知つてゐない。意外にこの書は、つまらないものであるか知れない。或はまた、意外に面白いものであるか知れない。さうした讀者の批判は別として、自分は少なくともこの書物で、過去に發表した斷片的の多くの詩論――雑誌その他の刊行物に載る――を、殆ど完全に統一した。》(同前六頁)

《自分はこの書物に於て、詩に關する根本の問題を解明した。即ち詩的精神とは何であるか、文學のどこに詩が所在するか、詩の表現に於ける根本の原理は何であるか、詩と他の文學との關係はどうであるか、そもそも詩と言はれる概念の本質は何であるか、等々について、思考の究極する第一原理を論述した。》（同前八頁。強調は野沢）

《思ふに「詩」といふ言語ほど、従来廣く一般的に使用されて、しかもその實體の不可解であり、意味の摑へどころなく漠然としたものはないであらう。本書はこの曖昧をはつきりさせ、詩の詩たる正體を判然明白に解説した。（自分の知つてゐる限りかうした書物は外國にも無いやうだ。）》（同前）

・「――讀者のために――」――これは「序」の補足のようなもの。『詩の原理』の体系性を主張している。

《この書物は斷片の集編でなく、始めから體系を持つて組織的に論述したものである。故に讀者に願ふところは、順次に第一頁から最後まで、章を追つて讀んでもらひたいのである。》（同前一〇頁）

《この書は始め八百枚ほどに書いた稿を、三度書き換へて後に五百枚に縮小した。成るべく論理を簡潔にし、蛇足の説明を除かうとしたからである。特に自由詩に關する議論は、それだけで既に三百枚の原稿紙になつてる稿本「自由詩の原理」を、僅かこの書の一二章に縮小し、大略の要旨だけを概説した。》（同前）

・「新版の序」――初版刊行後十年後に書かれた簡単な総括。《過去約十年の間に、十数版を重ねて一萬余人の讀者に讀まれた》（同前一二頁）とある。

・「概論　詩とは何ぞや」——この解答のために「内容論」と「形式論」とで構成することが告げられる。
《(内容論は) 一般的に甚だしく獨斷的で、單に個人的な立場に於ける、個人的な詩を主張してゐるにすぎない。》(同前一四頁) として〈霊魂の窓〉〈天啓の聲〉〈自然の默契〉〈記憶への郷愁〉〈生命の躍動〉〈鬱屈からの解放〉などといった例を挙げている。
《吾人が本書で説かうとするのは、かうした個人的の詩論でなくして、一般について何人にも承諾され得る、普遍共通の詩の原理である。》(同前)
《詩の形式に於ける答解も、つまりは内容に於けるそれと同じく、どこにも共通普遍の一致がない、各人各説の獨斷論にすぎないことが推論される。》(同前一五頁)

・内容論「第一章　主觀と客觀」——客観とは「冷静なる客觀」であり、主観はつねに「熱烈なる主觀」であるという単純な二分法が説明される。
・内容論「第二章　音樂と美術——藝術の二大範疇」——前章の二分法にもとづき、詩と小説を強引に特徴づけようとする無理をおかしている。
《音樂と美術によつて代表されてる、この著るしい両極的の對照は、他の一切の藝術に普遍して、主觀的のものと客觀的のものとを對照づけてる。即ち主觀的なる一切の藝術は、それ自ら音樂の特色に類屬し、客觀的なるすべてのものは、本質上に於て美術の同範に屬してゐる。そこで此れを文學について考へれば、詩は音樂と同じやうに情熱的で、熱風的な主觀を高調するに反し、小説は概して客觀的で、美術と同じやうに知的であり、人生の實相を冷静に描寫してゐる。即ち詩は「文學としての音樂」であり、小説は「文學としての美術」である。》（同前二四頁）

・内容論「第三章　浪漫主義と現實主義」――ここでは浪漫主義＝主観主義、現実主義＝客観主義とほとんど等置されている。前者をプラトン、後者をアリストテレスに起源をもつともされている。

・内容論「第四章　抽象觀念と具象觀念」――芸術においてはすべて具象的なイデアが目的である。そうした具体的なものへの思いを現わすものを〈表現〉と呼ぶ。イデアは夢ともヴィジョンとも言える。

《藝術の場合に於ては、表現のみが眞實のイデヤを語る。》（同前三五頁）

・内容論「第五章　生活のための藝術・藝術のための藝術」――〈生活のための藝術〉＝イデヤのための芸術＝主観主義＝浪漫主義、〈藝術のための藝術〉＝観照のための芸術＝客観主義＝現実主義。

・内容論「第六章　表現と觀照」――芸術のうえでは〈観照〉と〈表現〉と〈芸術〉は同義語である。

《いやしくも表現があり、藝術がある所には、必ず客觀の觀照がある。……認識（觀照）に無き

ものは表現に無く、表現に無きものは認識にないのである。吾人は知らないことを書き得ない。》（同前四七頁）

・内容論「第七章　觀照に於ける主觀と客觀」——主観主義の芸術では観照が観照として独立しない感情的態度にあるが、客観主義の芸術では科学的冷静の態度で観照を明徹にする。前者は「主觀のための觀照」であり、後者は「觀照のための觀照」である。

《眞に主觀的の態度によつて、世界を感情の眼で見てゐるものは、あらゆる文學者の中で、ただ獨り詩人あるのみである。詩人だけが、言語の正しき意味に於て、純に主觀主義者と云ふべきである。》（同前五一頁）

・内容論「第八章　感情の意味と智性の意味」——世界における意味の創造。プラトンとアリストテレスの対比。

《主觀に於ける選擇なくして、いかなる認識も有り得ない……認識するといふことは、この混沌無秩序な宇宙について、主觀の趣味や氣質から選擇しつつ、意味を創造するといふことに外ならない。》（同前五二頁）

・内容論「第九章　詩の本質」——詩とは「詩的精神」を指してゐる。散文的（プロザイック）なものに対立するが、ひとによって見方が逆になることもある。

《およそ詩的に感じられるすべてのものは、何等か珍しいもの、異常のもの、心の平地に浪を呼び起すところのものであつて、現在のありふれた環境に無いもの、即ち「現在（ザイン）してないもの」で

ある。》（同前六〇頁）

《空想や聯想の自由を有して、主觀の夢を呼び起すすべてのものは、本質に於て皆「詩」と考へられる。》（同前六一頁）

・内容論「第十章　人生に於ける詩の概觀」――道徳、宗教、哲学、さらには科学までいったん詩的なものとしたあとで、もういちど範囲を限定する。詩の外輪を描いている。

《「哲學がない」と言ふことは、主觀性の掲げるイデヤがない、即ち本質上の詩がないといふ意味である。かのゲーテが「詩人は哲學を持たねばならぬ」と言つたのも、勿論この意味を指すのであらう。》（同前六五頁）

《宗教も、道徳も、科學も、人生の價値に於けるあらゆるものが、本質に於て皆「詩」であり、詩的精神の所在として考へられる。實にこの本質上の意味に於て、詩は人生の「價値一般」であり、あらゆる文明が出發し、基調するところの實體である。すくなくとも詩的精神の基調なくして、人間生活の意義は感じられない。》（同前六六頁）

・内容論「第十一章　藝術に於ける詩の概觀」――広い意味で芸術＝詩と根本規定をし、主観芸術としての音楽、つづいて文学を論ずるが、このあたり主観的な文学をも広い意味で詩と解釈するが、まったく恣意的でしかない。最後には詩に対立するものとしては美術のみであると断言する。

《表現には二種あるのみ。曰く。「詩」とそして「美術」である。一切の表現はこの二つの中の何れかに屬してゐる。詩でなければ美術、美術でなければ詩である。そして前者ならば藝術生活主義（生活のための藝術）だし、後者ならば藝術至上主義（藝術のための藝術）である。故に藝術の記號たる「美」といふ言語は、音樂にも詩にもあたえられず、獨りただ美術にのみ冠されてゐる。美術こそは美の中の美、藝術中の藝術である。》（同前七四頁）

・内容論「第十二章　特殊なる日本の文學」——この章は日本人および日本文学にたいする朔太郎の独断と思い込みに充ちていて読むに耐えない。そうした見方から当時の自然主義文学を攻撃しているだけである。

《日本人は、宗教的な氣風や哲學的の瞑想を全く持たない。日本のあらゆる文化は、昔から徹底的な現實主義（レアリズム）で特色してゐる。》（同前七六頁）

《日本人には宗教感や倫理感の素質がない。》（同前七七頁）

《日本では、音樂は一向に發達しない。第一日本人は、先天的に音樂を好まない。（日本人の音樂嫌ひは、世界的に有名なものである。）此れに反して、美術は、殆ど世界的に發達してゐる。公平に考へて、日本の美術は世界無比のやうに思はれる。》（同前）

《要するに日本人は、客觀性の一方にのみ徹底して、主觀性をほとんど欠いているところの、世界に珍らしい國民である。》（同前七八頁）

・内容論「第十三章　詩人と藝術家」——詩人＝主観者（生活者）＋客観者（芸術家）という公式が与えられている。〈詩を作らない詩人〉という迷走した概念が途中で出てくるが、結局は否定される。

《詩人とは何だらうか？　言ふ迄もなく詩人とは詩的精神を高調してゐる人物である。では詩的精神とは何だらうか？……即ち主観主義的なる、すべての精神を指すのである。ゆえに「詩人」の定義は、一言にして言へば「主観主義者」である。詳しく言へば、詩人とはイデアリストで、生活の幻想を追ひ、不断に夢を持つところの人間夢想家（ヒューマンドリーマア）。常に感じ易く、情熱的なる人間浪漫家（ヒューマンロマンチスト）を指すのである。》（同前八三頁）

《あらゆる表現は観照であり、客観なしに有り得ない。詩もまた表現である以上は、客観なしに藝術し得ない。故に詩人の持つてゐる主観は眞の純一の主観（感情そのもの）でなく、観照によつて客観され、智慧によつて表現に照し出されたところの、特殊の知的主観であり、言はば「客観されたる主観」「表現されたる主観」である。》（同前八五頁）

《「詩人」といふ語も、また常に「表現者」を指すのである。單なる「生活者」は、決して眞の意味の詩人でない。實に詩人と言ふ語の正しい定義は、單なる生活者でもなく、單なる藝術家でもなく、その兩方を一所の中心に持つところの、或る特別の人間を指すのである。換言すれば、詩人とは「訴へようとする主観者」と、「表現しようとする客観者」とが、相互に程のよい調和に於て、固く結合した人格を指すのである。》（同前八六頁）

・内容論「第十四章　詩と小説」――詩と小説の共通性と異質性。いずれも主観的であるが、観照の態度において小説は客観的である。

《小説の表現は、常に科學的・分析的で、部分についてのデテールを細かく描くのに、詩の表現は哲學的・綜合的で、全體についての意味を直感する。》（同前九二頁）

・内容論「第十五章　詩と民衆」――朔太郎は民衆を《愛と軽蔑》との両面から見ている。教育的指導といったところか。

《彼等〔民衆〕は「善き素質」を持ちながら、しかも「惡しき境遇」に育つてゐる。一方から考へれば、彼等ほどにも詩を愛し、詩を尊敬してゐる種屬はなく、しかも一方から觀察すれば、彼等ほどにも詩を冒瀆し、詩を理解しない種屬はないのだ。故に正義は、彼等に對して價値を教へ、より高き内容に於けるところの、眞の藝術的な詩を教へてやることに存するのだ。》（同前九七頁）

《著者は民衆に諂らふところの民衆主義でなく、逆に彼等を罵倒し、輕蔑するところの民衆主義者だ。なぜなら民衆は、彼等を甘やかすことによつて益々堕落し、鞭撻することによつて向上してくるからだ。》（同前九八頁）

・形式論「第一章　韻文と散文」――朔太郎もこの区別には苦労している。結局、「音律を本位とする表現」といった曖昧な理屈を立てるしかない。

《言語は、二つの發想的要素を持つてゐる。一つは用を辨じ、事實を語り、事柄の意味を知らせるところの要素、即ち語義――もしくは語意――であつて、此れが言語に於ける實體的の要素であるが、他にも尚、言語は別の要素を持つてゐる。即ち談話にはずみをつけ、思想に勇氣や情趣を與へるところのもの、即ち所謂語韻、語調である。この二つの要素の中、前の者は言語の「知的な意味」を語り、後の者はその「情的な意味」を語る。但しこの後のものは、それ自體としては獨立し得ず、常に前の意味と結びついてのみ存在するが、詩は本來情的な主觀藝術である故に、特にこの點が重要視され、表現の必須なものとして條件される。》（同前一〇一頁）

・形式論「第二章　詩と非詩との識域」――詩を主観的な認識、感情的な意味での言語使用であるという点が強調される。

《詩とは、**詩的な内容が詩的の形式を取つたもの**でなければならない。》（同前一〇七頁）

《藝術の意味はただ直感によつて知られるのみだ。何故に或る詩は本物として感じられ、或る韻文は非詩として感じられるかといふことは、實に言語の語意や音韻に於ける組み合せの、複雑微妙なる關係にかかつてゐる。そしてどんな人間の理性も、決してそれを計算し得ない。》（同前一〇九頁）

《詩的表現の特色は、要するに言語が「知性の意味」で使用されず、主として「感情の意味」で訴へられてゐるといふことの、根本の原理に盡されてゐる。詩が音律を必要とする所以のものも、畢竟この原理に存するので、決して韻律のために韻律の形式を求めるのでない。……音律が、言語としての最も強い感情を出し得る故に、それが詩の形式を決定して、常に第一義的なものと考へられてゐる。》（同前一一〇頁）

・形式論「第三章　描寫と情象」――ここで詩を定義する重要な概念として〈情象〉が提出され

る。表現は〈描寫〉と〈情象〉に二分される。

《藝術は常に表現の形式で發想される。》（同前一一二頁）

《音樂や、詩歌や、舞踊等は、物の「眞實の像（すがた）」を寫さうとするのでなく、主として感情の意味を語らうとする表現である故に、前のもの〔描寫的表現〕とは根本的に差別される。この表現は「描寫」ではない。それは感情の意味を表象するのであるから、約言して言へば、「情象」である。》（同前）
・形式論「第四章　敍事詩と抒情詩」――ここではもっぱら西欧の詩の歴史の変遷がかなり大まかに語られているにすぎない。ホメロスに始まる叙事詩とサッフォーに始まる抒情詩という二つの大きな潮流が対立してきたが、近世以降は叙事詩がすたれ、抒情詩も短篇詩にすぎないものになった、といった程度の指摘で特筆するものはなにもない。
・形式論「第五章　象徴」――朔太郎は〈象徴〉を宗教的な「靈魂の渇き」と形而上的な本質直観の二つに分けており、フランス近代詩における象徴主義を後者にあると見る。しかし、このあたりの朔太郎の記述はあまりにも雑ぱくすぎて、まるで説明になっていない。というか、おそらく当時よく読まれていた（しかも岩野泡鳴あたりのデタラメな翻訳で）アーサー・シモンズ『象徴主義の文学運動』のこれまた初期マラルメのたんなる紹介程度のほとんど役に立たない解釈を墨守しているだけの感があり、ほとんど〈象徴〉の意味がわかっていないことを露呈している。この章は『詩の原理』のなかでももっともひどいものだと言ってよい。

・形式論「第六章　形式主義と自由主義」――主として西欧の詩の歴史を参照し、形式から出発して自由な内容を得ようとした詩の歴史をたどる。しかしこの自由主義に不満をもち、形式主義の精神に美を感じる詩人もいると言ったりしている。当時の時代的制約を超えた問題にはなっていない。

・形式論「第七章　情緒と権力感情」――すべての詩はこの二つの感情から発想されると見る。既述の「第四章　叙事詩と抒情詩」の二分法が繰り返される。ここからクラシシズムとロマンティシズムの傾向も特徴づけられるが、このあたりも類型的である。

・形式論「第八章　浪漫派から高踏派へ」――前章を受けて西欧の詩の歴史を概観する。ロマン主義的抒情への反動としての権力感情（叙事詩）の貴族主義的な再興として高踏派（パルナシアン）の運動はあった。小説における自然主義と並行して出現しながら方向は自然主義とは逆に貴族主義の独善に陥っていったとする。

・形式論「第九章　象徴派から最近詩派へ」――西欧での詩の歴史のつづき。象徴主義以降の未来派、立体派、表現主義、ダダイズムなどの新しい唯美主義的な運動への批判。

・形式論「第十章　詩に於ける主観派と客観派」――和歌と俳句の差異を浪曼派と写実派に見るが、俳句はそれでも情象する文学であって、その俳味にこそその黙約された詩趣があるとする。

・形式論「第十一章　詩に於ける逆説精神」――西欧における詩のクラシシズム（権力感情的な貴族主義、叙事詩）は詩であるかぎり、情緒的な主観をもちこまなければならない、という詩の逆説が論じられる。

《一つの決定的な事實を言へば、詩に於ける一切のヒロイズムは、畢竟して「逆説的のもの」にすぎないといふことである。》(同前一五四頁)

《詩に於けるクラシズムは、あまりに情熱的な詩人の血が、北極の氷結した吹雪の中で、意志の壓迫されることに痛快する、一種の逆説的詩學に外ならない。》(同前一五五頁)

《詩に於ける主觀派と客觀派は、その表面上の相對にかかはらず、絶對の上位に、一の共通した主觀を有し、共通したセンチメントを所有してゐる。そしてこの本質上のセンチメントが無かつたならば、實に「詩」といふべき文學は無いのである。》(同前一五七頁)

・形式論「第十二章　日本詩歌の特色」――西欧語のように日本語はアクセントも平仄もなく、脚韻などもない平板で単調なことばであることがあらためて強調される。音数律のみがあり、和歌や俳句だけが韻文と言えるものだが、これが長く繰り返すと単調になってしまう。しかし和歌などには「調べ」という魅力があるとする。

《日本語は、韻文として成立することができないほど、音律的に平板單調の言語であるが、他方に於て此れを補ふところの、別の或る長所を有してゐる。即ち語意の含蓄する氣分や餘情の豊富であつて、この點遙かに外國語に優つてゐる。》(同前一六六頁)

・形式論「第十三章　日本詩壇の現状」――日本の詩は、和歌と俳句を別にすると、新体詩を経て全面的に自由詩になっている。しかしながらその実態たるや、およそ程度の低いものでしかない。日本語の実情がまだあるべきレヴェルに達していないからであるという。そこで朔太郎が提案するのは新しい国語の創造ということに帰結する。

・結論「島國日本か？　世界日本か？」――既述の論の再説または総論的まとめであり、やや皮相かつ悲壮な欧化主義と言わざるをえない。

《西洋に於ける一切の文明思想は、結局言つて「主観を肯定する主観精神」と「主観を否定する主観精神」との、二つの主観精神の對立に外ならない。》（同前一八三頁）

《日本人は「氣質的のレアリスト」で、西洋人は「逆説されたレアリスト」である。故に日本人の立場で見れば、西洋のレアリズムや自然主義やは、一種のロマンチックな理想主義――逆説された理想主義――で、眞の本質的な現實主義と言ふべきでない。》（同前一八七頁）

《西洋の文化や文藝やが、日本に移植された場合に於ては、いつもその本質が變つてしまつて、根本に於ける敍事詩的(エピカル)の精神を無くしてしまふ。特に就中、文學はさうであつて、明治以来、外國から移植された一切の文藝思潮は、一も日本に於て正解されないばかりでなく、文學そのものが變質して、全く精神の異つたものになつてしまふ。》（同前一九一頁）

《今や吾人は、最後の決定的な問題にかかつてゐる。島國日本か？　世界日本か？　である。前者だつたら言ふところはない。萬事は今ある通りで好いだらう。だが後者に行かうとするのだつたら、もつと旺盛な詩的精神――それは現在(ザイン)しないものを欲情し、所有しないものを憧憬する

——を高調し、明治維新の撥剌たる精神を一貫せねばならないのだ。何よりも根本的に、西洋文明そのものの本質を理解するのだ。皮相を學ぶ必要はない。本質に於て、彼の精神するものが何であるかを理解するのだ。それも頭脳で理解するのでなく、感情によつて主觀的に知り、西洋が持つてゐるものを、日本の中に「詩」として移さねばならないのだ。》(同前一九二頁)

・「重版に際して」——詩壇の無理解にもかかわらず広い読者に迎えられたことの満足を語っている。

＊

以上でやや冗長になってしまったが、『詩の原理』の内容構成をそれぞれの章ごとに要約し、かつその特徴的な言説をかいつまんで抄録した。ひとはこれによって朔太郎がこの本でどんなことを主張したかったが大略わかるはずである。つぎにこの内容を仔細に検討してみなければならない。

2 『詩の原理』の提起したもの

さて、前節では『詩の原理』の構成内容を章ごとに逐一確認してきたわけだが、ここではそれをふまえて問題点を整理していくことにする。

朔太郎はまず「序」と「――讀者のために――」において『詩の原理』がどのような事情において、どのような狙いをもって書かれたかを述べている。ここでわたしが重要だと思うのは《詩の表現に於ける根本の原理は何であるか》（同前八頁）という問題意識である。朔太郎はこれを〈第一原理〉とも言い換えている。朔太郎は《自分はこの書物に於て、詩に關する根本の問題を解明した》（同前）とその直前で言っているが、はたしてそれはどうか。しかし、その達成の当否の問題はともかく、朔太郎がこうした表現の根本問題を考察の基礎においたということ自体は当時の時代思潮の水準をはるかに飛び抜けたものであったし、それは今日的な水準においてもけっして十分に解明されていない問題なのである。先まわりして言えば、吉本隆明の〈自己表出〉という概念でも〈意識〉という先験的なヘーゲル的審級につねに先導されているかぎり詩においては一面的でしかないのであって、言語の本質的隠喩性＝創造性というわたしの言語隠喩論的視点を導入しないかぎり、解明不可能な問題なのではないか。ちなみに吉本隆明は「朔太郎の世界」という短い評論の最後で『詩の原理』について肯定的に言及している。

> 朔太郎の芸術論は、大著『詩の原理』において文学原論として集大成される。（中略）『詩の原理』は漱石の『文学論』とともに、日本の近代文学史がうんだもっとも優れた文学原論の書であり、いまなおこえることは容易なわざではないのである。★1

吉本にしては評価がかなり甘いが、この評論が書かれたのが一九六〇年十二月だから、『試行』で『言語にとって美とはなにか』の連載がその半年後から始まることを勘案すれば、この評価も妥当だったかもしれない。『言語美』が『詩の原理』にも触発されたにちがいないことを推定させるに十分なものがあるだろう。

つづいて「概論　詩とは何ぞや」になると、朔太郎がめざすのは《一般について何人にも承諾され得る、普遍共通の詩の原理である》（『全集第六巻』一四頁）ということになるのだが、その方法として論述を「内容論」と「形式論」とで構成することが告げられる。普遍的な原理論を標榜する以上、なんらかの基準が必要だと朔太郎は判断したのだろうが、そのためにとられた二分法はあまりにも形式的すぎて、議論がその限定性にとらわれてすこしも発展しないのである。その内容論「第一章　主観と客観」はとりわけ顕著であり、全篇を支配する二分法の最大の論点となっている。

> 藝術上の主観主義とは、感情や意志を強調する態度を言ひ、客観主義とは情意を排し、冷靜

な知的の態度によつて、世界を無關心に觀照する態度を言ふ。（同前二一頁）

あとでわかるが、朔太郎は詩の表現において徹底的に主観性を肯定していくのであって、内容論「第三章　浪漫主義と現實主義」「第五章　生活のための藝術・藝術のための藝術」などの二分法はつねに前者を肯定的に評価していくのである。また内容論「第二章　音樂と美術――藝術の二大範疇」は音楽をもっとも主観的な芸術とし、美術（絵画）をもっとも客観的な芸術とする一方で詩を主観的、小説を客観的と振り分けていく。もちろんそれぞれに相対的な主観―客観の程度の差異を見出してはいるのだが、この基本線は変わらない。

また、こうした二分法の展開のなかにもすこしずつキーワードが呼び込まれてくる。「第三章　浪漫主義と現實主義」では「現存（ザイン）」するものしないものという観念区分が呼び出され、内容論「第四章　抽象観念と具象観念」ではこのうち「現存（ザイン）しないもの」にプラトン起源の〈イデア〉という観念が与えられる。

客觀主義は、この現實する世界に於て、すべての「現存（ザイン）するもの」を認め、そこに生活の意義と滿足とを見出さうとするところの、レアリスチックな現實的人生觀に立脚してゐる。客

★1　吉本隆明「朔太郎の世界」、『文芸読本　萩原朔太郎』河出書房新社、一九七六年、三六頁。

観主義の哲學は、それ自ら現實主義(レアリズム)に外ならない。此れに反して主觀主義は、現實する世界に不滿し、すべての「現存(ザイン)しないもの」を欲情する。彼等は現實の彼岸に於て、絶えず生活の掲げる夢を求め、夢を追ひかけることに熱情してゐる。故に主觀主義の人生觀は、それ自ら浪漫主義(ロマンチシズム)に外ならない。(同前三一頁)

詩は文學の中の最も主觀的なものである故、詩と詩人に於てのほど、イデヤが眞に高調され、感じ深く現はれてゐるものはない。詩人の生活に於けるイデヤは、純粹に具體的のものであつて、觀念によつて全く説明し得ないもの、純一に氣分としてのみ感じられる意味である。(同前三六頁)

このあたりからイデアをもとめる芸術としての主観主義、浪漫主義への傾斜が明らかになっていく。朔太郎がどこまでプラトンとアリストテレスを読み込んでいたかは、当時の翻訳の質と量のレヴェルを考えると、あまりあてにはできないが、すくなくとも『萩原朔太郎全集第十二巻』の大部な未発表ノートをみるかぎり、相当なところまで読み込んでいることは否定できない。朔太郎は当時の貧困な翻訳事情のなかで、詩人としては偏ってはいるがかなりの哲学通であったことがわかる。《かなしき郷土よ。人々は私に情(つれ)なくして、いつも白い眼でにらんでゐた。単に私が無職であり、もしくは変人であるといふ理由をもつて、あはれな詩人を嘲辱(てうじよく)し、私の背後(うしろ)から唾（つばき）をかけた。「あすこに白痴（ばか）が歩いて行く。」さう言つて人々が舌をだした。★2》とまで故郷の人びとに蔑まれながら、親のすねかじりとはいえ、朔太郎は当時の前橋としてはモダンな部屋で生活をしながらマンドリンに興じ、知識を磨いていたのであって、一般に思われているほど非知的な遊び人どころではなかった。

それはともかく、『詩の原理』の構成内容をさらに検討していこう。

すでに述べたように、「第二章　音樂と美術」は芸術の二大範疇として主観主義的な音楽と客観主義的な美術（絵画）を芸術の両極北として設定していて、美術（絵画）に否定的なわけではない。そのことは内容論「第六章　表現と觀照」で〈観照〉という概念を〈表現〉という概念とともに提出していることでもわかる。絵画において〈観照〉は欠かすことができないからであるが、朔太郎はそれは表現の問題としても必然としているからである。

> いかなる主觀主義の藝術も、本來觀照なしに成立しないことは勿論である。なぜなら藝術は——どんな藝術でも——表現に於てのみ存在し、そして表現は觀照なしに有り得ないから。
> （同前四七頁）

★2　『純情小曲集』「出版に際して」。日本詩人全集14『萩原朔太郎』新潮社、一九六六年、一四二頁。

〈観照〉とは英仏語とも〈contemplation〉であり、たんに〈見ること〉〈観察すること〉といった以上の〈洞察〉のような哲学的ニュアンスがあるが、基本的にはそんなに変わったことを言っているわけではない。だから絵画における観照とは言語表現における以上の必然性があることは間違いない。しかし、朔太郎は《いやしくも表現があり、藝術がある所には、必ず客観の観照がある》(同前)と力説する。ここらあたりは二分法にやや引きづられて、表現と観照をむりやり関連づけている観があるが、そのことは次の内容論「第七章　観照に於ける主観と客観」での次の指摘をみればわかる。

> 主観主義の藝術では、観照が観照として獨立せず、いつも主観の感情と結びついてる。換言すれば彼等は、對象の物に就いて物を見ずして、それを自己の主観に引き入れ、氣分や感情の中に融かしてしまふ。(同前四九頁)

同じ理屈は次の内容論「第八章　感情の意味と智性の意味」で感情と主観主義の結びつきがふたたび強調されることによって理解されるだろう。朔太郎は《感情は理智の知らない眞理を知ってゐる》というパスカルのことばを愛用しているが、その意味は《智慧の認識と共に融け合つてゐる感情――即ち主観的態度の観照――を指してゐる》(同前五六頁)のである。そしてこのことは未発表ノートのなかでも《感情は眞理である》[★3]とくりかえされていることでも朔太郎の確信を確かめることができるだろう。

そして内容論の中心的主張である「第九章　詩の本質」にいたって、ここまでの論議をふまえて朔太郎の詩にかんする定義が開陳されるのである。

詩とは實に主觀的態度によつて認識されたる、宇宙の一切の存在である。若し生活にイデヤを有し、且つ感情に於て世界を見れば、何物にもあれ、詩を感じさせない對象は一もない。逆にまた、かかる主觀的精神に觸れてくるすべてのものは、何物にもあれ、それ自體に於ての詩である。／故に「詩」と「主觀」とは、言語に於てイコールであることが解るだらう。すべて主觀的なるものは詩であつて、客觀的なるものは詩でないのだ。（『全集第六巻』六二頁）

つづく内容論第十章～第十五章についてはここまでの言説の延長ないし独断的拡張でとくに読むべき論点はない。残念ながら前節の要約を見てもらえばすむような内容である。

＊

ここで形式論の検討に移るまえに、ひとつの間奏曲として大岡信のきわめて妥当な『詩の原

★3　『萩原朔太郎全集第十二巻』ノート五、一六九頁、以下、この本からの引用は『全集第十二巻』と略記する。

理』への総体的批判を紹介しておこう。ここまで読まれた読者にも納得してもらえるだろうからである。

『詩の原理』では、全体が「内容論」と「形式論」に大別される所からまず二元論の支配が始まっているが、（中略）原理論、詩史、芸術史、現下の詩壇情勢論などが互いに入り混って叙述されている点は、ある意味でこの本に独特な面白さをもたらしているが、根本のところで常に二元論、対立概念の対比という図式が思考の枠組を決定している窮屈さから免かれていない。それが少なくとも私には、この本の読みにくさの最大の理由となっている。（大岡前掲書一八四頁）

さすがに大岡信の批評は『詩の原理』の根本的問題点を的確に指摘しているが、以前（本書四一頁）にも見たように、その試み自体は高く評価しているのである。誰が見ても明白なその二分法による形式性、図式性は今日的視点から見ると柔軟性に欠け、常識的でしかないように見えざるをえない。しかしこれを古めかしいものとして読み捨てにするか、そもそも読みもしないで無視できると思うことが、こうした試みの根源性を見えなくしてしまうことになるのではないか。ここまでわたしが整理した論点のなかにもいまでも通用する視点とそれを引き継いでいかなければならない問題が残存していることがわかる。わたしたちはそれをしなければならない。

＊

それでは形式論の検討に進もう。

形式論「第一章　韻文と散文」は前章でも述べたように、『詩の原理』以前の諸論考でも悪戦苦闘して調子本位、リズム本位、内部の韻律などいろいろ論をたてたあげくに、もはやこれ以上は進退窮まったところで半ば放棄された問題である。

詩が他の文學と異なる、根本の相違點は何だらうか？　言ふ迄もなく、それが「音律を本位とする表現」であることにある。すべての詩は、必ずしも規約されたる形式韻文ではないけれども、しかもすべての詩は——自由詩でも定律詩でも——本質上に於て音律を重要視し、それに表現の生命的意義を置いてゐる。（『全集第六巻』一〇四頁）

今日の立場としては、言語の辭書的な解義を廢して、韻文を「音律本位の文」と考へ、散文を「非音律本位の文」と考へ、詩を定規的な形式觀によらずして、本質上から定義せねばならないのである。（同前一〇五頁）

『詩の原理』においては最終的に〈音律本位の文〉を韻文の定義にしているにすぎない。そもそも《日本語にははつきりした韻といふものがない。あつても西洋語や支那語のやうな鮮明なものではない。日本で普通の韻文といふのはほんとに韻をふんだ文章ではなくして、ただ調子だけ整調したものだ。それ故、嚴重に言へばそれらは韻文ではなくして、調子文といふ方が正當な呼び方である》（『全集第十二巻』ノート五、一四九頁）と朔太郎は早くから明言している。すくなくとも近代以降の日本語には五母音しかなく、他言語とくらべて圧倒的に変化に乏しいのはいまにいたるも変わりはない。したがって韻の問題はどう論じたところで音数律本位のものにしかいきつくところはないというのが実状である。

つぎの形式論「第二章　詩と非詩との識域」では基本的に内容論「第九章　詩の本質」その他で説明してきた詩の本質論をよりていねいに言いなおしたものである。

> 詩的精神の本體は主觀であるから、詩的感動の本質は、それ自ら「主觀的態度」に外ならない。換言すれば、主觀的態度によつて見たるすべてのものは、それ自ら詩的であつて、詩の内容たり得るものである。（中略）主觀的態度とは、事物を客觀によつて認識しないで、主觀の中に融解させ、感情の智慧で見ることである。尚詳しく言へば、物について物を見ないで、主觀の感情によつて認識し、心情（ハート）の感激や情緒に融かして、存在の意味を知ることである。
> （『全集第六巻』一〇八頁）

つづいて形式論「第三章　描寫と情象」では朔太郎に固有の概念と言ってもいい〈情象〉という考えが出てくる。情象とは《感情の意味を表象する》という意味の造語であり、朔太郎によれば、《詩とは情象する文學である》（同前一一四頁）という命題として提起される。あまりいい命名とは思えないが、ともかく朔太郎の新たな定義はこうだ。

詩とは何だらうか？　詩の表現に於ける定義は如何？　詩は音樂と同じく、實に情象する藝術である。詩には「描寫」といふことは全くない。たとひ外界の風物を書く時でも、やはり主觀の氣分に訴へ、感情の意味として「情象」するのだ。（中略）詩を特色する決定の條件は、必ずしも形式韻律の有無でなく、又自由律の有無でもなく、實にその表現が、本質に於て「情象」であるか否かにかかつてゐる。（同前一一三頁）

ここまでで『詩の原理』において朔太郎が提起した主要な観点、考察、定義の類いはすべて出揃ったと言っても過言ではないだろう。以下についてはこれも前節の要約と参照すべき引用を見てもらえば、おそらく十分ではあろうが、それではあまりにあっけないので、すこしはまとめておくべき問題を整理しておこう。

形式論「第四章　敍事詩と抒情詩」「第五章　象徴」「第六章　形式主義と自由主義」「第七章

情緒と権力感情」「第八章　浪漫派から高踏派へ」「第九章　象徴派から最近詩派へ」「第十一章　詩に於ける逆説精神」はほとんど朔太郎が理解するかぎりでの西欧の詩の歴史の叙述と解釈である。すなわちギリシアのホメロスにはじまる叙事詩—古典主義（形式主義）と、同じくギリシアのサッフォーにはじまる抒情詩—浪漫主義（主観主義）の二つの流れを前提とし、当時はまだ現実的にも身近な歴史的潮流であった象徴主義を漠然と擁護しながら、そのまえの高踏派（ルコント・ド・リールに代表される）、それに朔太郎にとって究極的な敵と目されていた自然主義を視野に入れて批判している。

實に高踏派と自然主義とは、藝術の本質點で聯盟されたる、浪曼派の正面攻撃の敵であったのだ。しかしながら吾人は、かうした抗争詩派の主張に對して、一つの納得できない疑惑を感ずる。なぜならば詩の本質は、上來説いて來たやうに主觀的のものであるから。吾人はいかにしても、高踏派の説く如き反主觀の詩、客觀主義の詩といふものを考へられない。そして同様にまた、眞の意味の藝術至上主義と言ふべきものを、詩の世界について想像できない。詩は必ず主觀主義の文學でなければならず、したがつてまた「生活のための藝術」でなければならない。故に高踏派の言ふ意味の反主觀や藝術至上主義やは、おそらく多分、吾人の考へる意味のそれとはちがふのだらう。（同前一三九頁）

見ればわかるように、ここでは朔太郎はみずからの主観主義詩論にことよせて高踏派と自然主義を批判しようとしているのだが、はっきり言って高踏派のことをよく知らないながら言及しているので、あまり要領を得ていないし、朔太郎にしてはめずらしく断定的ではない。むしろここでは自然主義を叩くことに主眼があると言えるのではないかと思う。いずれにせよ、象徴主義についてもおよそ正確な知識を欠いていることはあきらかで、象徴主義の総帥マラルメなどに言及すると、たちまち馬脚を現わしてしまうのは、時代的制約として目をつむるしかないだろう。また、同じような視点から西欧の古典主義一般への批判も繰り返される。これは朔太郎にとって自説を確認するための補強工事である、と言ってよい。

詩は純美といふべきものでなくして、より人間的温熱感のある主觀を、本質に於て持つべきものだ。すくなくとも吾人は、確信を以て一つのことを斷定できる。即ち詩は心情(ハート)から生るべきものであつて、機智や趣味だけで意匠される頭腦(ヘッド)のものに屬しないと言ふことである。故に、詩に於ける形式主義(クラシズム)は、内容として詩的精神、即ち「主觀」を持つ限りに於て許さるべきで、主觀なき純粹の形式主義は、一種の數學的純美であるとしても、斷じて詩と稱し得べきものでない。(同前一五三頁)

こうした西欧詩の歴史とは別に日本の詩の問題を論じた形式論「第十章　詩に於ける主觀派と

客観派」と「第十二章　日本詩歌の特色」となると、朔太郎の原理的考察が生きてくるのが見られる。朔太郎は当初、和歌を主観的文学、俳句を客観的文学と分別しておきながら、最後には俳句も情象する文学と解釈していくのである。

> 和歌と俳句とは、その外観の著るしい差別的對照にかかはらず、本質上に於て全く同じ抒情詩であることが解るだらう。即ち俳句は、和歌のより澁味づけられたもの、錆（さび）づけられたものであつて、一種の枯淡趣味の抒情詩に外ならない。（同前一四九頁）

そして和歌については韻に代わる特質として〈調べ〉という概念をもちだす。第十二章末尾の注で朔太郎は《短歌に於ける有機的な内部律（調べ）とは、言語の構成される母音と子音とから、或る不規則な押韻を踏む方式であり、日本の歌の音律美は、まったくこの點にかかつてゐる》（同前一六六頁）として、新古今集の歌に《音律美の極致》（同前）を見出している。〈調べ〉とはなんとも曖昧な概念ではあるが、ここでの朔太郎の評価には一定の説得力があると言えるだろう。

形式論「第十三章　日本詩壇の現状」になると、朔太郎の幻滅は当時の日本語の現状にまで及んでいく。つまり、当時の日本語はまだ十分な詩語の形成にいたるまでの熟成に達していないというのである。

今日の問題は、何よりも先づ「國語」の新しき創造である。國語にして救はれなければ、詩も小説も有りはしない。この時、この場合、吾人は暫らく「韻文」「散文」の言語を止めよう。なぜなら詩の言語は、文化の最後に咲く花であり、混沌たる今日の時代のものに屬しないから。今日の最大急務は、詩の言語を考へることでなくして、先づその根柢たるべき日常語を改訂し、此れを導いて藝術化し、以て第一に「散文學」そのものの本壘を、新しき文化の上に築くことだ。今日の詩人諸君が知るべきことは、實に我々の今の社會に、眞の「散文」が生れてゐないと言ふ事である。故に詩人諸君の爲すべきことは、今日に於て詩を作るよりも、むしろ先づ散文を創造することにあるかも知れない。そしてこの最後の見解から、始めて現詩壇の自由詩を肯定し得る。なぜならば今日の自由詩は、それ自ら一種の「新しき散文」であるからだ。そして日本に於ける新時代は、正にこの散文の上に建設され、未來の希望ある進出に向ふだらう。／然り！ 詩の時代は未だ至らず。今日は正に散文前期の時代である。(同前一七八―一七九頁)

たしかに、いまさら言うまでもなく、『詩の原理』が刊行された一九二八年(昭和三年)とは明治維新後六一年しか経過していなかった時期である。それは日本語の歴史にとっても近世から近代になりかわっていく時代の黎明期をすこしばかり超えただけの時代であったのだ。『詩の原理』以後すでに九六年を閲している現代からすれば、そして朔太郎の時代がどれほどまだ言語的未開の時代であったかをあらためて考えてみれば、朔太郎のこの嘆きはまったく正当なものだろう。このあたりの時代感覚はわれわれにはとうてい感受しえないものがある。朔太郎の同時代人に代弁してもらおう。

明治時代は外郭建設の時代であるから内部装飾には思ひ切つた手ぬかりが多い。五十年の文藝思想史は通譯者の活動日記である。紹介者の周旋記録である。小手利き戰士の凱旋史である。比較的優れた文士に例外は見出されるが、一般として考へて見ると、明治大正の文學は世界藝文史の一砦として誠に貧弱な収穫を有する許りでない、徳川期に比しても優れた何者を一體どれ程有するであらう。（中略）時代の傾向は、ある藝術の衰退と、ある藝術の勃興とを際立たせるものである。更に時代の特質は、一般人の普遍的教化に急にして一人の優れた天才者の芽生えを毒害することさへある。明治時代は、外觀と傾向とから見れば燦爛たる生々發展の進取的「聖代」であつたが、一一の總勘定をして見れば神様に苦情を申込みたい程の天才損害を澤山うけてゐる新開町時代である。★4

日夏耿之介らしいヒネリの利いた文章であるが、この本が『詩の原理』と同年の一九二八年に刊行されたことは特筆しておいていいことだろう。同時代者の証言として当時の実感が記されている。朔太郎が〈散文前期の時代〉と言わずにいられない心情はよくわかるだろう。

結論「島國日本か？　世界日本か？」までくるともはや朔太郎の悲壮な願望と言う以外にはない。前節のまとめを参考にしてもらうだけでいい。

3　『詩の原理』刊行後に見出された詩の原理

さて、ようやく『詩の原理』の構成内容とそれへの現代的視点からの再検討をいちおう終わらせることができる。しかし、それにしても萩原朔太郎とはなんと当時の時代性を突出した問題意識の持ち主だったのだろう。北川透は『萩原朔太郎〈詩の原理〉論』の「あとがき」で『詩の原理』を論じ終わった感慨をこんなふうに述べている。

おそらく『詩の原理』は、詩人論や作品論の位相では、どこか始末におえないやっかいな著作なのである。それは近代詩史論的な場所で、はじめてその意味を明らかにしてくるはずであり、しかも、その時は、すでに一冊の書物としての『詩の原理』ではなく、朔太郎が『月

★4　日夏耿之介『改訂増補・明治大正詩史』（全三巻）東京創元社、一九四八年（初版一九二八年）、巻ノ上、五―六頁。なお、この部分の頭注には《明治文明の特質は、少數天才の孤高時代でなくして、多數能才の群據時代であつた》ともある。

に吠える』期の詩を書きはじめた当初から、理論的に追求しようとした〈詩の原理〉の試み自体が問題にならざるをえないだろう。《個人的の詩論でなくして、一般について何人にも承認され得る、普遍共通の詩の原理》という理念にとり憑かれた朔太郎という場所は、近代および現代の詩にとって、どういうところなのか。それはわたしたちの現在の詩の難関とどのようにかかわるのか。(同書三四六頁)

三七年もまえに発されたこの北川の問いにどこまで答えられるかわからないが、わたしとしては、萩原朔太郎が『詩の原理』を書くことによって詩とことばの関係を考察したことを、わたしの言語隠喩論的考察のなかでいくらかは果たせるのではないか、と思っている。

いや、朔太郎は『詩の原理』ではまだ十分に詩とことばの問題を展開しきれなかった、ただ『詩の原理』を刊行して五年後の一九三三年に『朝日新聞』に発表した「詩人の本分」というエッセイで詩とことばの問題がより鮮明に解き明かされていることが見出される、ということを指摘すべきだろう。

詩人があつて、言葉が出來てくるのではない。言葉があつて、詩人が生れてくるのである。換言すれば、言語が詩を決定するのである。(『全集第六巻』四五六頁)

言語は思想を決定する。（同前四五九頁）

言語が詩を決定し、言語が詩論を決定する。（同前四六一頁）

朔太郎のこのことばの理解は驚くべきである。すでにこれは言語隠喩論的な視点をはるかに先取りしているかもしれないからである。そう言えば、朔太郎は形式論「第一章　韻文と散文」のなかで驚くべきことをすでに書いていた。《第一に言ふべきことは、言語はすべて關係であり、比較に於てのみ、實の意味をもつといふことである。》（同前一〇〇頁）――これはまさにソシュール言語学の基本そのものではないか！　朔太郎にソシュールを読んだ形跡はないから、これはほとんど自力で直観的に考えたことであるはずである。なぜこの視点が『詩の原理』のなかで生かされなかったのか。その意味ではやはり大正六年ごろに書かれたと言われる未発表ノートにもこれに類することばがある。

私共が詩を作るのは私共の生命を言葉に彫刻することである。私共にとつては言語が即ち生命である。そしてその言葉は英語でもフランス語でもない。私共の言葉はいつも私共の日本語より外にはない。（『全集十二巻』二四〇頁）

未成熟な観念であるとはいえ、ここにはすでにことばが詩のボディであり、生命そのものであるという思想が着眼されている。この観念がどこから生じ、『詩の原理』の書きなおしのなかでどうして取り込まれなかったのか。朔太郎の直観が捉えたこの言語隠喩論的な発想はその後いずこかへ消え去って、のちに「詩人の本分」で回復されたことになる。このことに驚かざるをえない。

＊

しかし、驚いてばかりいてもいけない。この朔太郎の問題意識をわれわれは現在の時点から再検討しておくべきではないかと思わざるをえない。というのも、このあたりをふまえてだろうと思うが、藤井貞和が刊行されたばかりの『日本近代詩語』という本のなかで《朔太郎という人は、近代詩語のなかで言葉のあり方を追求した変革者だったのではないか、という結論★5》へ向かおうとして、こんなことを書いているからだ。

朔太郎論はたしかにだいじです。だいじだけれども、朔太郎が書いた『詩の原理』のような作品、というか詩論、詩学、これが現代でももうすこし生まれてほしいという思いがあります。『詩の原理』は内容論と形式論という大きな二つのパートに分かれつつ、詩論、詩学をとことん追求してゆく、そういう仕事ですよね。だれかこの続編、『続詩の原理』を書けばよいのにと思いますが、そちらのほうにはなかなか行かなくて、朔太郎とは何ぞや、という朔太郎論にばかり議論が行ってしまうというあたりに、私は若干の不満を持っています。

（同前）

この藤井の思いにはみずからの文法的詩学といったユニークな仕事が念頭におかれているのでたんなる願望とは異なる切実な思いが伝わってくる。わたしの『言語隠喩論』を評価してくれる藤井だけにこの自分より若い世代への叱咤激励にはさらなる努力で応えたいと思うが、[★6]さすがに『詩の原理』のような全方位的な問題の立て方は現代ではきわめてむずかしいのが現状であろう。だからこそ萩原朔太郎が『詩の原理』以後の詩論のなかで、さきほど見たことばの、詩や思想にたいする優先性、先行性の問題提起をしたことの重要性をあらためて強調しておかなければならない。わたしの現在の言語隠喩論的問題意識から言えば、朔太郎がいちはやく気づき、そしてそれ以後、ほとんど誰も気づいてこなかったこのことばの自立性、創造性こそが現代詩あるいはこれからの詩の発展というか新たな展開のなかでどうしても詩人たちが認識しなければならない

★5　藤井貞和『日本近代詩語——石、「かたち」、至近への遠投』文化科学高等研究院出版局、二〇二三年、二一三頁。

★6　藤井の文法的詩学については「文法的詩学との交差——藤井貞和詩論との対話」（『イリプス IIrd』6号〔二〇二四年一月〕）で書いたので、参照してほしい。

問題なのである。詩はなにものかあらかじめ書こうとすることがあって、それをことばによって置き換えるようなものではない。言語化以前のモチーフやイメージのようなもの——たんなる詩の制作意識と言っていいもの——があるとしても、それを言語化するまでにはなんらかの言語的発見と飛躍がなければならないはずである。簡単に言語化しうるようなものはじつはすでにどこかで言語化の作業を終えてしまっているのであって、それを並べてみせているのにすぎないのではないか。そんなものには詩の新しさも生命もないのである。このことを朔太郎は直観的にわかっていたのだ。

そう考えていくと、ここで朔太郎と並んでその言語理論を検討しようとしている吉本隆明においては、その〈自己表出〉概念にその可能性の一端はのぞかせているものの、吉本自身は朔太郎とはまったく逆の方向から言語を見ていることがわかる。このことは別のところでも話したこと[★7]だが、きわめて本質的なポイントなので、論点先取り的になるかもしれないが、ここでも確認しておかなければならない。

吉本は「ラムボオ若くはカール・マルクスの方法に就ての諸註」という初期論考(一九四九年)のなかでこう書いている。

詩作過程を意識とそれの表象としての言語との相関の場として考へれば、詩作行為は意識が言語を限定する心的状態にはじまり逆に言語が意識を限定する心的状態に終る。[★8]

ここで吉本は詩の言語をまったく誤解しているとしか思えない。これはあきらかにヘーゲル的な意識決定論であって、思想の言語としては成立しても、およそ詩のことばを導出するような牽引力をもたないのである。朔太郎が〈言語は思想を決定する〉としているところを入れ替えて〈思想が言語を決定する〉と言わんばかりなのである。これでは吉本的な意志的な詩を書くことはできても、それはあくまでも書くまえに認識している思想的な何かを言語化しているだけにすぎない。もちろんそこに吉本的な思想的意志的な強さがこめられていることはわたしも認めざるをえないが、それは吉本隆明だからこそ可能となったもので、およそ一般化できる方法ではない。詩はむしろこうした事前の認識にもとづくのではなく、およそ漠然としてはいようがまだ言語化できないようなところから発生してもいいはずである。詩は書かれてはじめて書いた当人も驚きをもつようなたぐいの言語なのではないか。そういうものでなければ、言語的な生命の発現ということも起こらない。

《精神が意識の場で発展し、さまざまな形を提示していくとすれば、それぞれの形には知とその

★7　二〇二三年二月十一日の大阪ドーンセンターでの野沢啓講演。この内容は「意識を超えて詩を書くこと——日本詩人クラブ大阪例会講演要旨」として『現代詩手帖』同年六月号に掲載され、その後『ことばという戦慄——言語隠喩論の詩的フィールドワーク』未來社、二〇二三年、に収録された。

★8　『吉本隆明全著作集5』勁草書房、一九七〇年、二〇頁。

対象との対立がつきまとい、すべての形が意識の形態をとってあらわれる。（中略）意識は経験のうちに入ってくるものしか知らないし、それしか概念的にとらえない》[★9]とヘーゲルが言うように、意識はすべてに優先し、言語をも支配しようとする。そうすると、詩のことばは意識によって制御されてしまうばかりで、ことばがもつ自由な隠喩的発見、創造的世界開示性というポテンシャルを喪失させられてしまう。詩人がそれまでに意識的無意識的に蓄積してきたさまざまな知識や経験といった詩の母体となりうるリソースは意識によって事前に取捨選択され抑圧されてしまう。

実際のところ、いま現在書かれている詩の多くはそういった言語的無意識ないし前意識から溢れるようにして出てくるようなものは少ないが、それでも部分的にはそういった自己制御を超えたかたちでことばが自己実現をはたしているのを見ることができる。もちろん詩人が書くことにはじめは意識的であることは当然で、そうでなければ詩を書くこと自体が成り立たないことは言うまでもない。しかし、吉本の言うように詩が《意識が言語を限定する心的状態にはじまる》のだとしたら、およそ詩的創造力すなわち言語の本質的隠喩性にもとづくことばの自由な展開は発動することができないことになってしまう。それはどれほど詩的な結構をもつとしてもせいぜい高度な詩的メッセージにしかならない。そこにはそもそも詩を書く必然性さえないのではないか。吉本隆明の詩にインパクトがあるとすれば、それはことばの隠喩性が吉本の意識的制御を離れて部分的に突出したからではないか。初期の代表作である「転位のための十篇」などの多くはわたしも好きな作品群だが、それらはそうした境位にあったからこその成果であって、意識主義者吉本がふとした意識の切れ目に放出したことばの力なのではないだろうか。さきの講演のあとである詩人から吉本のなかにも無意識的なものがあるのではないか、との異論も立てられたが、詩を書くときの吉本のなかにそういった意識で制御しきれない無意識的言語の情動が作動したかもしれないことをわたしは否定しているわけではないことだけは言っておいたほうがいい。

ただ、いずれにせよ、吉本の詩論家としての立場はこの初期の意識決定論から基本的になにも変わらないと言ってよいだろう。それはまっすぐ『言語にとって美とはなにか』での理論構築において再稼働していることは間違いない。さきほども言いかけたが、吉本の〈自己表出〉概念こそは、ことばそれ自体の可能性としての〈自己表出〉だとすれば、吉本のなかにヘーゲル的意識主義の観念的縛りを乗り超えうる機会はあったはずで、しばしばそういう方向性が仄見える瞬間があるにもかかわらず元のもくあみのようにこの意識主義の枠に立ち戻ってしまう。こう考えてしまうと朔太郎とはちがって吉本隆明はやはり理念のひとだと言うしかなくなるだろう。

すくなくとも、昭和初年代の言語的不毛の時代に《言語が詩を決定し、言語が詩論を決定する》と断言することのできた萩原朔太郎はやはり本質的な詩人の生を生きていたのだということがこのことだけからでもあらためてわかるのであり、その先駆性は『詩の原理』では展開されなかったけれども、おおいに問いなおされるべき問題なのである。《言葉があつて、詩人が生れて

★9　G・W・F・ヘーゲル『精神現象学』長谷川宏訳、作品社、一九九八年、一二三ページ。

くるのである》という潔い断念こそ、詩人であることを自明の前提とせず、詩を書くことによってそのつど詩人になるという、詩人が本来もっていなければならない自覚を誰よりも強く深く理解していたのが朔太郎なのである。

第二部　吉本隆明『言語にとって美とはなにか』

第三章　『言語にとって美とはなにか』の構成と批判的解析

1　〈自己表出〉と〈指示表出〉の問題点

　ここからはこれまで萩原朔太郎の『詩の原理』についておこなってきたように、吉本隆明の『言語にとって美とはなにか』がどういう枠組と内容をもっているかをじっくりと確認していこう。しかし、『詩の原理』のときとは方針を変えて、全貌をあらかじめ知ろうとするより、吉本隆明のそれぞれの論点をしぼり、それにたいして介入的に論及していくことにしたい。それは萩原朔太郎の場合とちがって、吉本は詩論としてではなく、文学言語のありかたを広く論じようとしていて、詩的言語について論じている部分はそんなに大きくはないからである。だからここでは本書の隠れたテーマである言語隠喩論的な詩的原理を再構築するにあたって必要な箇所を掘り下げる方向で検討したほうが効率的だし意味があるからである。

　とはいえ、全体の目次構成だけは参考のために以下に挙げておこう。（ここでは既述したように角川

ソフィア文庫版の二冊本を対象とする）

・文庫版まえがき
・選書のための覚書
・序
・第Ⅰ章　言語の本質
・第Ⅱ章　言語の属性
・第Ⅲ章　韻律・撰択・転換・喩
・第Ⅳ章　表現転移論
　第Ⅰ部　近代表出史論（Ⅰ）
　第Ⅱ部　近代表出史論（Ⅱ）
　第Ⅲ部　現代表出史論
　第Ⅳ部　戦後表出史論（ここまで『定本 言語にとって美とはなにかⅠ』）
・第Ⅴ章　構成論
　第Ⅰ部　詩
　第Ⅱ部　物語
　第Ⅲ部　劇

・第VI章　内容と形式
・第VII章　立場
　第I部　言語的展開（I）
　第II部　言語的展開（II）
・文庫版あとがき（ここまで『定本 言語にとって美とはなにかII』）

　これで全部である。通常の編集感覚では「章」と「部」の立て方が逆だが、まあいいことにしよう。

　さて、二〇〇一年八月の日付をもつ「文庫版まえがき」は文庫で六ページ足らずのものだが、吉本隆明の最後の抱負として見ておく必要があろう。

　文学の作品や、そのほかの言葉で表現された文章や音声による語りは、一口にいえば指示表出と自己表出で織り出された織物だと言っていい。わたしはやっと今頃になって表現された言葉は指示表出と自己表出の織物だ、と簡単に言えるようになった。この本を書いた頃は新しい言語の理論を創りあげて、そこから文学作品を解き明かそうと張りつめていて、ゆとりがなかったのだ。今では少し余裕をもって、さまざまな形で言葉を自分なりに説明できるよ

うになったというわけだ。(『言語美Ⅰ』七頁)

これは吉本の最初の意気込みと最後の心境がどんなものだったかを率直に伝えている。つづけて指示表出と自己表出の説明に移るが、ここでは当初からの時枝誠記に依拠した詞辞論をふまえた自己表出性の特徴を強調している。いくつかの例を挙げたあと、《すべての言葉は指示表出性と自己表出性とを基軸に分類することができる。言葉を文法的にではなく、美的に分類するにはわたしの考え方のほうが適しているとおもう。言いかえれば文学作品などを読むにはこの方がいいとおもっている》(同前一〇頁)と結論づけている。文法的に、というのは時枝の詞辞論の方向性を指しているわけで、吉本はそれを美的に、という方向へもっていこうとしているのである。ここに問題点のひとつがあるが、この点は3節で詳述する。しかし、ここでの文学作品に詩をもふくもうとするなら、すでにそこに別の問題がひそんでいることはあらかじめ指摘しておこう。

吉本は最後で自分の仕事について《たぶんインド・アジア・オセアニア語の一つである日本語を基礎にした言語表現理論としては珍らしいものだとおもっている。》(同前一二頁)と書いているが、たしかにユニークさというかぎりではそう言えないことはない。萩原朔太郎も『詩の原理』で同じような感想をもらしていることが想起される。

つづけて一九九〇年二月の日付をもつ「選書のための覚書」は角川選書に収録されたときのも

のらしいが、二ページ分の短い文章ながらつぎの指摘に目をとめておこう。

その折は無我夢中だったが、わたしはこの論稿をかなり気負って書いていることがわかる、その気負いにはふたつあって、ひとつはじぶんはいま新しい文学の理論をつくりつつあり、しかもたしかにうまく地平をきりひらいているというおもいからきている。もうひとつはじぶんが社会主義リアリズムに収束してゆくマルクス主義文学理論を、確かに超えつつあるという気負いのようなものだ。（同前一三―一四頁）

前者の文学理論の構築はともかく、後者のマルクス主義文学理論とのからみはいまとなってはあまり重要ではないが、執筆当時の吉本においては大きな問題だったことはこの文面からも理解できよう。

「序」では『言語にとって美とはなにか』のモチーフが語られており、プロレタリア文学の理論の不毛さに気づき、《じぶんの手で文学の理論、とりわけ表現の理論をつくりだすほかに道はないとおもった》（同前一六頁）と書いている。そしてこれはすでに言及したが、《本稿の特長は、何よりも誤謬があれば、どんな読者にも論理的にそれを指摘することができ、どんな読者も、本稿を土台にして、それを改作し、修正し、展開できる対象としての客観性をもっていることだ》

（同前一八頁）と自我自賛している。しかし、そうは言っても、ここでも言及しているように三浦つとむの『日本語はどういう言語か』のようなきわめて粗雑な言語論から《たくさんの啓発をうけた》（同前一七頁）と書いているところなどを読むと、吉本の言語論にかんする知識は時代の制約もあろうが、かなり貧弱だと言わざるをえない。これは今後、必要に応じて指摘し批判していくことになろう。

＊

「第I章　言語の本質」は三つの節から成り立っているが、その「1　発生の機構」は吉本隆明の言語発生論としてきわめてプロブレマティックな論点を提示している重要な箇所である。吉本はこの節の冒頭をつぎのように始める。

言語とはなにかを問うとき、わたしたちは言語学をふまえたうえで、はるかにとおくまで言語の本質をたどってゆきたいという願いをこめている。
言語の解剖理論が最終の目的ではなく、たんなるはじまりであり、言語の表現理論が最終の目的であるばあい、この欲求はやみがたいものだ。そこで、わたしたちは言語学者が終ったところからはじまり、言語学者は、わたしたちが終ったところからはじまるという関係が成立つだろう。わたしたちは言語の像を駆使した経験をもっているが、言語を解剖したこと

はない。言語学者は解剖の経験をもっているが、言語の像を駆使したことはない。（同前二四頁）

吉本は言語学をふまえると言っていながら、じつは言語の表現理論にとって言語学はなにも寄与しないし、寄与できないことを言っている。吉本がめざす言語の表現理論にとってとっかかりとして言語学の解剖理論が言語の何たるかを提示しているのをざっと参照するだけである。しかし、ここで参照される言語論とは、フロイトを介したスペルベル、マルクス『ドイツ・イデオロギー』、そしてエンゲルス、スターリンとブイコフスキーといったマルクス主義者の、およそ言語表現とは無縁な言語道具論の立場に立つひとたちであり、せいぜいのところシュザンヌ・K・ランガーの『シンボルの哲学』といった言語信号論的なかなり古い言語理論である。当時の時代背景を勘案しても、吉本が参照している言語学文献はすでに時代より相当に遅れたものと言うしかない。そういうところから言語の発生をとらえようとしているかぎり、どうしてもお手製の概念を編み出す以外にはないことになる。

エンゲルスは「猿の人類化への労働の関与」という文章のなかで、人類は労働の発達によって必然的に相互扶助、共同的な協力の必要の自覚をもつようになり、そのことによって人類は相互になにごとかを言わなくてはならない関係になったという記述をふまえて、吉本は《人間が人間的な意識の自己表出の欲求をもつようになったということを意味している》（同前三六頁）と述べている。ここで吉本は言語の発生をみているが、もうすでにこうした協業段階では言語は発生期をとうに過ぎているのだから、こんな時点で言語の発生をいうのはおかしい。つづけて吉本は《労働の発達が言語の発生をうながしたことと、うながされて言語を人間が自発的に発することとのあいだには、比喩的にいえば千里の径庭がある》(同前)と言うのも、一般論としては正しくとも、言語の発生とは労働以前の問題であるはずであり、これはすでに言語が発生したあとの、コミュニケーション言語として発展していくさいのプロセスの問題であって、どうやらここで吉本の言う言語の発生とは、人間がコミュニケーションのために言語を発する契機のことを指しているだけのようである。

問題はその先にある。吉本は言う。

この人間が何ごとかをいわねばならないまでになった現実の条件と、その条件にうながされて自発的に言語を表出することのあいだにある千里の距たりを、言語の**自己表出**(Selbstausdrückung)として想定できる。自己表出は現実的な条件にうながされた現実的な意識の体験がつみ重なって、意識のうちに幻想の可能性としてかんがえられるようになったもので、これが人間の言語が現実を離脱してゆく水準をきめている。(同前)

ここで〈自己表出〉という概念が、簡単ではあるが、事実上はじめて提出されている。そしてここにはいくつかの問題がはやくも現われている。ある意味では、ここにすべての問題点が集約されているとも言えるのである。

まず最初に、すでに指摘したことであるが、吉本はこの〈自己表出〉という概念にわざわざ〈Selbstausdrückung〉というドイツ語をあてている。そうするとふつうは誰かが言い出したことばの借用のように受け取れる。それならなぜそのことを明らかにしないのか。それともみずからドイツ語から発想した造語なのだろうか。だとすれば、ドイツ語ネイティヴでもない吉本がなぜそんな不自然なことをするのか。こうした謎は不明なままに残されてしまった。

そんな詮議はともかくとして、第二に、〈何ごとかをいわねばならない〉ことと〈自発的に言語を表出する〉こととのあいだに千里の径庭があることは確かであり、それは言語の〈自己表出〉であると吉本が言うならば、それは言語の自立的創造性、すなわちわたしの言う言語そのものの創造的隠喩性[★1]のこととそんなに変わらない。そしてこの言語の〈自己表出〉と〈何ごとかをいわねばならない〉言語の関係は言語の一次性と二次性の関係、つまり詩と散文（ないし日常的伝達言語）の関係と同じであって、そこでは言語の意味は自己創出性（生きた隠喩）と使い古された辞書的意味（死んだ隠喩）の距たりということになるはずである。ここで吉本が言語の〈自己表出〉というかぎりにおいては吉本は基本的に間違っていない。

しかし、すぐつづけて吉本が《自己表出は現実的な条件にうながされた現実的な意識の体験がつみ重なって、意識のうちに幻想の可能性としてかんがえられるようになったもの》と言うとき、決定的な誤りとなるのではないか。まずこの文章自体がおかしいのは、〈現実的な意識の体験〉が重なったら、それが同じ意識のうちで〈幻想の可能性としてかんがえられる〉ようなものが生まれてくるというのはそもそも自己循環あるいはトートロジーではないか。意識の体験が意識を構成するとはすでに論理学的に言って論点先取りの、いわゆるカテゴリーミステイクではないか。ここでは《現実的な意識の体験がつみ重なって》ではなく、《現実的な言語の体験がつみ重なって》でなければならない。吉本はヘーゲル的な意識主義者であるから、すべて意識が優位にあり、言語はつねに意識の統御のもとにおかれるのであって、かりにそうだとしても、意識は言語体験を吸い上げるかたちでみずからを構成するのでなければならないのではないか。意識は、言語によって自己規定された言説をもたないかぎり、意識として自立できないし、ましてや〈幻想の可能性〉などという曖昧な可能性をもつこともできはしないのである。吉本の〈自己表出〉という概念は、先の引用のなかでのように言語の〈自己表出〉なのではなく、あとで出てくるように意識の〈自己表出〉なのである。吉本はすぐあとで《人間の意識の自己表出は、そのまま自己意識への反作用であり、それはまた他の人間との人間的意識の関係づけになる》（同前三七―三八頁）と書いているぐらいであるから、吉本においては言語はつねに意識の統御のもとにおかれていると思い込まれているのである。この例でもわかるように、意識主義者吉本は、意識は言語の介在な

★1　野沢啓『言語隠喩論』未來社、二〇二一年、参照。

しに意識だけで存立しうると思い違いをしているのだが、それは吉本が〈自己表出〉というタームにとらわれすぎていて、根本的な見誤りをしていたことを示していると思われるのである。〈自己表出〉が意識のではなく、言語のそれであることがわかってしまえば、それと対になっている〈指示表出〉も言語の二次性である（辞書的）意味にすぎないことがわかってしまう。そうなれば、（表現された）文学テクストは《指示表出と自己表出の織物》などという見方は不要となり、言語の一次性、すなわち言語そのものの隠喩的創造性が言語の二次性である散文的意味（日常的意味）との相克あるいはかかわりあいのなかで獲得しうる〈価値〉の問題になる。〈自己表出〉であろうと、言語が書き手（話し手）の意識を超えてそれ自体がもつ創造的隠喩性、世界開示性を発揮しうる可能性を排除しないこと、詩的言語とはすでにそうした可能性に身を投じた自立的な言語行為であり、ほんとうの意味でそうした可能性が実現すれば、そこにあらたな価値が創成されることになるのであって、あらかじめ意識に統御されるかぎり、真正の創造的言語の達成は阻害されることになるであろう。そこには〈指示表出〉などというみみっちいものは出る幕がないはずである。

いきなり最初から吉本理論の根幹を揺るがす問題点を指摘したが、このあとはこうした視点をもとに検証をすすめたい。

「第Ⅰ章　言語の本質」の「2　進化の特性」はカッシーラー『言語』、オグデン／リチャーズ

『意味の意味』（でのマリノウスキー）、ハヤカワ『思考と行動における言語』などを手がかりに言語の進化過程をなぞっていくが、ここでも参照している文献が当時としてもすこし古い。そしてここでも《ある時代の言語は、どんな言語でも発生のはじめからつみかさねられたものだ。……こういうつみかさねは、ある時代の人間の意識が、意識発生のときからつみかさねられた強度をもつことに対応している。》（同前五五頁）となっていて、言語と意識の歴史的累積があいまいに並列されているのみで論証はない。

「第I章　言語の本質」の「3　音韻・韻律・品詞」では時枝誠記『国語学原論』が参照されている。前節が言語の歴史的側面だとすれば、この節では言語の分類が問題とされている。言語学者は言語の音韻とか韻律について論及することはまれである。というか、言語学は本質的に形態論であって、その言語が文学的言語として機能するさいの実質には踏み込まない（踏み込めない）からなのである。吉本が時枝誠記を評価するのは、時枝が韻律の問題としてリズム論などに踏み込んで理論を展開しようとするからである。すでに萩原朔太郎のところでも論じたように、日本語におけるリズムの問題は日本語の等時的拍音形式[★2]という日本語固有の問題にぶつかっていまもってなかなか解明のむずかしい問題である。しかしそれを最初からスルーしてしまう言語学

★2　時枝誠記『国語学原論（上）』岩波文庫、二〇〇七年、一八五頁以下。なお、元本は一九四一年刊。

者の無葛藤ぶりにくらべると、時枝の問題意識ははるかに時代の先を行っていたことは確かなのである。

たとえば時枝は当時の国語学の現状をふまえて、こんなことを書いている。

> 私は……価値及び技術ということを言語の本質的要素と認め、国語学は又その体系の中に価値及び技術を問題として取上げなければならないと考えるのである。そこで文語や文学的言語はもはや自然的言語の崩れでもなければ、歪みでもなく、それらは夫々（それぞれ）に異った価値意識と表現技術とによって成立するものと考えられる様になる。（同前一三〇頁）

こうした問題意識は言語学者（国語学者＝日本語学者）のなかでは（おそらくいまも）稀有なものであろうから、吉本が時枝の言語論＝主体的言語表現論に惹かれたことはよく理解できる。それどころか、『言語にとって美とはなにか』はこの時枝の国語学の発想に全面的に依拠しているとさえ言えるのではないか。もちろん吉本もこの時枝言語学の影響を明言してはいるが、どうもそれ以上のものがあるのではないか。たとえば、こんな箇所を挙げれば、わたしの指摘に納得してもらえるだろう。

> 文学なり芸術なりの美学的考察は、文学芸術を通してでなく、文学芸術それ自体を一の全体

として研究することによって始めて可能となるのである。同様にして言語の美学的研究は、言語全体を考察の対象としなければならない筈である。芸術は美であることによって芸術たることが出来るのであるが、言語は、言語として存在する為に、必しも美を必要としない。言語美は従って言語の一属性に過ぎないのである。（同前一五〇頁）

吉本隆明が『言語にとって美とはなにか』を書こうとするきっかけとなったのはじつはこのあたりにあったのではなかろうか。時枝はすでに〈言語美〉という問題を提示しているが、それが《言語の一属性に過ぎない》と言われるのであれば、文学にかかわる者としてはそれに挑戦しないわけにはいかなかったからであろう。さらに言えば、時枝の『国語学原論』の第六章は「国語美論」と題されてもいるのだ。時枝はこのあと国語＝日本語の文法等について展開していくのであり、その精密な詞＝辞論はおもしろいが、わたしのいまの興味からはかなり距離がある。このあたりは現代においてひとり藤井貞和が探索の手を伸ばしているが、わたしなどの出る幕ではない。吉本もここでは時枝文法に依拠して言語の自己表出としてさまざまな品詞の表出度を論じているが、恣意的というそしりは免れまい。

2　言語の美ではなく表現の価値へ

「第II章　言語の属性」は四節に分かれていて、前章と同じく問題の多いところである。まずその「1　意味」を見てみよう。

まず、この節はいきなりこんなふうに始まる。

わたしたちは空気を呼吸して生きている。そしてあるばあいは空気を呼吸していることをまったく意識さえしていない。おなじようにわたしたちは言葉をしゃべり、書き、聴き、読んで生きている。しかし、あるばあいには言葉をまったく意識さえしていないのだ。これはとても健康な状態だというべきだ。言葉を言葉としてとりだして考察するという一種の不毛な病は、言葉をかくという作業がとめどなくすすみ、袋小路にはいってしまった文化の段階を示唆するもので、ふたたび古代人とはべつな意味で、言葉が物神にまでおしあげられたことの証左なのだ。だから、わたしたちは、やむをえず、という意味と、必然的にという意味のふたつを背負って、言葉を言葉そのものとしてとりあげるのである。（『言語美I』七四頁）

ここで吉本は何を言おうとしているのであろうか。前半の言語の無意識的使用の無謬説ともいうべき切り出しは後半の《言葉を言葉としてとりだして考察するという一種の不毛な病》を言うための言わずもがなの枕で、要するに言語について語ることへの無意味な言い訳にしか聞こえない。どうせ言語分析をするのだから、こんな枕を振ること自体、意味がない。そんな枕のあとで、〈意味〉という範疇のいくつかの通念が分析されている。ここではことばの意味がわからないという場合の例があげられているのだが、あることばが現代では死語になっているためにことばの流れがいまではわからない『古事記』の例、非現実的な描写であるために不明晰な隠喩的印象を与えるという島尾敏雄の小説の例、そして最初から意味の脈絡をなすことを意識的に拒んでいるかのような清岡卓行の詩の例を挙げて、それらに指示表出と自己表出の網をかぶせて理解しようとして妙な理屈をひねくりだしているが、それはもともとこれらの概念では対応できないのではないかとしか思えない。

ところで吉本の〈指示表出〉はほとんどことばの辞書的意味と同義であると言っていいが、《言語の**意味**の本質について暗示がうけとれるとすれば、たれにもあきらかなように、**意味**が言語の指示表出とふかくつながっていることだ》（同前八〇頁）ともってまわった言いかたでいちおうの定義を与えている。このあたりは時枝誠記の『国語学原論』において《主体の意味作用に**意味**の根源をもとめた》（同前八一頁）言語表現論をみる吉本としては、こうした時枝的言語過程説と同調して〈主体の意味作用〉という動的イメージと重ねあわせるようにして〈指示表出〉という概念を導き出したのにちがいない。これは表現者としての吉本にとってたんなる言語学的な〈意味〉というより〈自己表出〉と対になるものとして〈指示表出〉という概念を用いたかったのだろう事情はわからないではない。だからこそか、吉本は詩を書くという経験を時枝的な表現行為論的な文脈にことよせて書くのである。

わたしたちが詩歌や文章をつくるさいの体験を内省してみると、まず主体のなかに対象にたいする意味作用があって、それがつぎに言語にあらわれる、とはかんがえにくい。まず、おぼろ気な概念か、像か、ひとつの意識のアクセントがあって、かかれる言語の意味は、かいてゆく過程につれてはじめて決定されてゆく。(同前八二頁)

こうした体験の内省には吉本の詩人としての手応えの経験知がいくらかは反映していると思われる。ここで吉本が書いていることは、詩における言語の表出が意識を超えて《かいてゆく過程につれてはじめて決定されてゆく》という事態である。これを言語の自己表出だというなら、わたしにも納得がいく。これはわたしの言語隠喩論における言語の自立的な創造的隠喩性そのものだからだ。意識主義者吉本は時枝誠記言語過程説に引きずられて詩を書くことでの無意識的あるいは半無意識的な書記行為(エクリチュール)の意識超出性が思いもかけなかった言語の意味生成を実現してしまう経緯をそれと気がつかずに語り出しているのである。そしてここで言語が主体の意識的な意味作用を超えてつくりだしていく創造世界をこそわたしは言語の本質的隠喩性の創造力だと規定しているのである。

しかし、吉本はせっかく言語隠喩論的な言語の本質的隠喩性の発見のとば口までできたところで、指示表出―自己表出論へのこだわりのために、意識の表出としての言語行為というありきたりの散文世界へ逆戻りしていくのである。

ここで念のために言っておかなければならないことだろうが、批評や理論的言説もふくめて言語の二次的使用のレヴェルにあっては、こうした吉本的な意識の表出としての言語というプロセスが一般的であることをわたしが否定しているわけではない。そこにも言語の創造的隠喩性のはたらきは作動しているのであるが、それはあくまでも言語の二次的使用の展開という基本的枠組のなかでの補助的ないし部分的なはたらきにすぎないのである。そこではあらかじめ言おうとすることがあり、それを言語の意識的な表出作用のなかで言語化しようとするものだからである。しかし、それは詩的言語の創造的可能性を追究しようとする言語の一次的使用としての隠喩的表出においては、そうした意識の先行性はただただ邪魔になるだけであり、そこに依拠しているかぎり、いっこうに詩的言語を形成できないで、なにごとかの説明か言い換えかに陥ってしまい、すなわちなにか新しい世界を創出するような言語世界を生み出すことはできないのである。詩を書くことが意識の表出ではなく、言語そのものの隠喩的創造性こそが新しい詩の次元を発見するのであり、ときにそこからまったく新たな言語意識の創造が見出されることがありうることは、言語創造ということばの力がそこに機能するからである。詩的言語の自立的創造性こそが言語の意識をあらたに構造化するのである。吉本の意識言語論はそのことをほとんど感知していない。

言語の本質は、どのようなものであれ、自己表出と指示表出とをふくむものとかんがえれば……言語の意味とはなにか、をかんがえるばあい、頼りになるのは言語の本質だけだ。そして、わたしたちはつぎのように言語の意味を定義する。**言語の意味とは意識の指示表出からみられた言語の全体の関係だ。**（同前八九頁）

これはもういちど繰り返される。――《言語の意味をかんがえることとは、指示性としての言語の客観的な関係をたどることにちがいないのだが、このように指示表出の関係をたどりながら、必然的に自己表出をもふくめた言語全体の関係をたどっていることになる。》（同前九〇頁）

ここで吉本は、自己表出と指示表出をテコにして言語の本質をみようとするから、言語の意味をめぐって〈指示表出〉という曖昧な概念を密輸入したために一種の同語反復ないし循環論法に陥っていることを見なければならないことになる。だから《言語の意味とは意識の指示表出からみられた言語の全体の関係だ》などというまったく意味不明な呪文が唱えられるだけになるのだ。これはさきほど引用した時枝誠記『国語学原論』での《文学芸術それ自体を一の全体として研究すること》の強引な引き写しにすぎないのではなかろうか。ことばの意味とは通常の場合、辞書的な意味にすぎず、それがある文脈のなかで使われたときにそれがそうした辞書的な意味を大きく逸脱するようなときがあれば、それは言語の創造的隠喩性のはたらきとして意識にはじめて現前してくるのであって、それならば言語の自己表出性にとって新たな意味の出現として認められるのである。そうした場合はこれまでの辞書的な意味にさらなる差分として新たに登録されるのであって、言語の〈指示表出〉などとは無縁である。そうでないなら、これまでの吉本隆明の読み手たちはここのところをいったいどう解釈しているのか。王様はハダカだ、とこれまでの誰も指摘してこなかっただけなのではないか。

> 意味のうねりや、指示性の関係としてはたどれないのに、なお、なにかを意味しているような表現にぶつかるとき、言語の**意味**がたんに指示性の関係だけできまらず、自己表出性によって言語の関係にまで綜合されているのを、はじめて了解するのだ。／言語の指示表出性は、人間の意識が視覚的反映をつとに反射音声として指示したときから、他と交通し、合図し、指示するものとしてきまった。言語の**意味**は、意識のこういう特性のなかに発生の根拠がある。（同前九二頁）

吉本の思い込みからくる混乱が集中的に現われている部分と言うべきかもしれない。言語の意味は指示性だけできまらないのは、すくなくとも文学的な言語においては、たとえ散文的作品においても、言語の隠喩的本質がかならずやふくまれているからで、そこに意識の表象としての言語を接ぎ木したところで言語の創造的可能性は意識によって大幅にせきとめられてしまうのだから、いかに自己表出性を狩り出してみたところで意識の〈反射音声〉的機能の拡大にすぎないものになるのはいたしかたない。吉本の意味論的解釈ではなにも解明されないのであって、表出論をもとにするかぎり、文学作品の内在的解釈論としては一定の可能性を留保できるとはいえ、文学の創造的行為論としてはここで破綻していると言わざるをえないのである。後述するように、こうした部分もふくめて、時枝誠記からさえ吉本理論にたいする根本的な疑義が提出されている。

つぎに「第II章　言語の属性」の「2　価値」を見るが、ここでも前項と同じ問題を引きずっている。ここではマルクス主義哲学者アンリ・ルフェーヴルの『美学入門』における芸術=特殊な労働説を《つまらぬ著作》(同前九四頁)と批判したあと、フランスの記号学者ピエール・ギローの『文体論』その他を参照している。こんないまどき誰も相手にしなくなったギローのような平板な文体の分類論や意味論を吉本は参照したあげくに《分類は壁画のようにふえてゆくが、そこからどんな統一的な像もえられない》(同前九八頁)として投げ出してしまうが、当然のことだろう。言語にたいして外在的にしかアプローチできない学者に文学的〈価値〉の問題を問いかけてもなにも得られないだろうことは最初からわかりきっているではないか。

そこでフェルディナン・ド・ソシュールを引き合いに出していくのだが、小林英夫訳『言語学原論』(一九二八年、のちに『一般言語学講義』)と小林英夫による歪められたソシュール解釈に頼らざるをえなかったこともあり、さらにソシュールを自然主義的な構成主義的言語本質観としてみずからの言語過程説のたんなる対立物と矮小化した時枝誠記や、その時枝のソシュール理解をさらに歪曲した三浦つとむの延長で考えてしまうかぎり、吉本がソシュール言語学に本格的に取り組めなかったのもしかたがない。ましてその後のソシュール研究の成果など、この時点での吉本の視野には存在しないのだから、それもやむをえまい。

そういうわけで吉本は独自の言語価値論へ突き進むのだが、これもめっぽう危うい。吉本が素材として取り上げるのは倉橋由美子の「貝のなか」という作品の一節《わたしの表皮は旱魃の土地よりも堅くこわばり、》である。この部分を吉本は《旱魃の土地よりも》を除いた《わたしの表皮は堅くこわばり》と比較し、概念的な意味としては変わらないが、この《旱魃の土地よりも》という表現をふくむ倉橋の原文のほうが《文脈のなかで多数の意味のふ、く、み、を代表していることになり、……価値があるとしなければならない》（同前一〇〇頁）としていく。ここで〈意味のふ、く、み、〉とはさきほど挙げたソシュールの『一般言語学講義（言語学原論）』をふまえての吉本の解釈だが、ここでの解釈は理解はできるものの、相当に貧しいものだと言わざるをえない。なぜなら表皮の乾きに《旱魃の土地よりも》という直喩を追加しただけのものが、そうした直喩なしの簡単な一節にくらべて比喩的なイメージの増加があるという以外の特別の価値があるとは思えないからだ。散文作品のなかにこうした比喩を繰り込むことはたしかにイメージを増殖ないし明快にさせるという効用はあるかもしれない。これをしいて評価するというのなら、アリストテレスの『詩学』での比喩の定義を思い起こすしかない。《わたしの表皮は堅くこわばり》という叙述文が平板だとすれば、それに《旱魃の土地よりも》という比喩を付け加えることで、平板さを避けることができるからである。《文体を明瞭にするのみならず、平凡でないものをつくり出すためにきわめて役立つものとして、語の延長や縮小や変形がある》[★3]とアリストテレスは書いている。《わたしの表皮は堅くこわばり》という明瞭ではあるが平板な文体に《旱魃の土地よりも》という比喩を加味させることで、いささかなりとも文体にふくらみが付加されるということになろうか。《文体（語法）の優秀さは、明瞭であってしかも平板でないという点にある。》（同前八二頁）

吉本がここに価値をみようとするのはわからないわけではない。文学的な価値とはこういった意味のふくらみ（ふくみではなく）にこそあるのだと言えばその通りかもしれないが、そこには文脈上の深い意味が埋蔵させられているとはさほど思えない。もともと散文作品のなかの比喩とは、言語の本来的な隠喩的創造性ではない二次的使用なのであって、そこに「使用」される比喩（ここでは直喩）も文脈上の比喩使用にすぎないのであるから、詩における言語の本質的隠喩性のようなオリジナルな強度をもつことはできないのである。

ここで以前にも書いたことだが、そっくり書きうつしておいてもよいのが、以下の文章[★4]である。吉本は倉橋由美子のテクストを解読するにあたり、こんなことを書いている。《文章の言語価値は、「わたし」という代名詞の自己表出……と、「の」という助詞のもつ自己表出、「表皮」という名詞のもつ自己表出、「は」という助詞のもつ自己表出、「旱魃」という名詞のもつ自己表出、

「の」という助詞の自己表出、「土地」という名詞、「よりも」という副詞……の自己表出の関係からみられたこの言語の総体をさしていることになる。》(『言語美I』一〇四頁)と。こんなことを言うまでにいたってはもはや意味不明と言うしかない。ここでたんなる文法上の助詞、名詞、副詞などの品詞がもつ自己表出性などと言いだしたら、この〈自己表出〉という概念もおのずから崩壊してしまうのではないか。それほど強引な解釈をどうして吉本が繰り出してきたのか、誰も理解も説明もできないだろう。吉本が依拠する時枝誠記の詞辞論にならったのだろうが、時枝はそんなことはもちろん書いていない。吉本は品詞についてもそれぞれ自己表出性の度合いがあると強弁するが、時枝文法的な意味で詞(名詞、動詞、形容詞、副詞など)と辞(助詞、助動詞、感動詞)の関係が包む―包まれる関係にあるという以外には、品詞に自己表出性などというものはもともとありえない。それはあくまでもさまざまな品詞の組合せとして成り立つ文が組成する意味において逆照射されるかたちで認識されるべき文法的性質にすぎないのである。

また、吉本は言語の〈価値〉についてつぎのように言う。

指示表出と自己表出を構造とする言語の全体を、自己表出によって意識からしぼり出された

★3 アリストテレス『詩学』松本仁助・岡道男訳、『アリストテレース「詩学」/ホラーティウス「詩論」』岩波文庫、一九九七年、八四ページ。

★4 野沢啓「言語隠喩論のたたかい――時評的に1」、『イリプス IIrd』1号、二〇二二年十月。

ものとしてみるところに、言語の**価値**はよこたわっている。あたかも、言語を指示表出によって意識が外界に関係をもとめたものとしてみるとき言語の**意味**につきあたるように。（『言語美Ⅰ』一〇二頁）

ここでも指示表出と自己表出から言語の構造を考えるから、なんだか意味不明のテーゼもどきが生まれてしまう。まさか《早魃の土地よりも》という単純な比喩を《言語を指示表出によって意識が外界に関係をもとめたもの》として見よ、ということではないと思うが、《自己表出によって意識からしぼり出されたもの》だという理解を吉本はしているのかもしれない。そうでもないとこの一節は理解できないだろう。ここから吉本が引き出す結論として、同じ規定がまたも繰り返されるのだが、《言語の**価値**とはなにか、と問われたら、ただつぎのようにこたえればよい。**意識の自己表出からみられた言語の全体の関係を価値とよぶ**》（同前一〇二頁）というのでは、ほとんど定義になっていない。

文学的言語の意味と価値を問うなら、意識の表出度の問題ではなく、言語の本質的隠喩性、創造的世界開示性のレヴェルを問う以外にはなく、それは一般的理論としては成り立たないか、せいぜい言って言語の自己超出（自己表出ではなく）の度合いと質を問うしかないのではないか。

ここでこの表現における〈価値〉の問題について、北川透が『北川透 現代詩論集成5 吉本隆明論――思想詩人の生涯』★5で提起した問題についても考察しておかなければならない。北川も書いているように、この論集は北川が吉本隆明についてそれまでに書いてきた多くの文章を棚上げし、新たに吉本論として全面的に取り組みなおした新稿である。これは二〇一三年に始められた北川の個人誌『KYO（峡）』に連載されたものだが、これがまとまったかたちで読めるようになったのがこの論集だったから、わたしは贈ってもらってすぐに熟読したのは言うまでもない。そしてそこで北川がこの新しい吉本論でこれまでとは大きくシフトチェンジしたことを知って驚くとともに、これまでの吉本論者とは明らかに異なる視点を導入しようとしているところに関心をもったのであるが、そうしたなかでも吉本の表出論にたいし、これまで誰も言わなかった視角から論じようとしていることに北川の本気度がうかがわれておもしろいと思った。

北川はそこで『言語にとって美とはなにか』を論じながら、吉本の〈自己表出―指示表出〉論にたいして別の論点を提出しているのである。まず北川はこう述べる。《人間は自然の内部に帰属しながら、即自的に自然であることができず、それと向き合い、対象化しようとしてことばをもち、観念を生み出し、それによってみずから自然でありながら、そこから外化され、自然を失う痛みを背負わされている。そこに最初の沈黙があり、空白がある。大地震や大津波にあった時、あるいはそれを映像で見た時、わたしたちはなぜ、ことばを失うのか。（中略）言うまでもなく、このことばを失うところにこそ、逆に、すべての表現の契機が潜んでいる、と言ってもいい。こ

★5　『北川透　現代詩論集成5　吉本隆明論――思想詩人の生涯』思潮社、二〇二二年。

の表現に向かう初源の意志において、意味と価値は、未分化のままだろう。》（六一頁）

北川はここで人間が自然の猛威にたいして失語から表現へ向かうときの〈初源の意志〉について書いている。そのさい、ことばは自然の力としてこの未分化の状態から脱却しようとする。

ここで提出したいことは、この未分化の表出を支える能動的な力の意志のことだ。それを仮に〈自己表出〉という概念で考えてみたらどうか。そうすると、これと区別されることになる吉本の〈自己表出〉の概念は、相応しい用語であるかどうかは別として〈価値表出〉と修正されなければならない。つまり、それぞれの発話を根底で支える力の意志、沈黙の情動、欲望から発する表現の衝動を〈自己表出〉とする。そして、これまでに積み重ねられてきた表現の時間を、〈自己表出〉が媒介する形を〈価値表出〉とする。それとともに、〈自己表出〉が空間的な拡大に向かう形を、〈指示（意味）表出〉とすることになる。つまり、〈自己表出〉、〈価値表出〉、〈指示（意味）表出〉は、それぞれ無方向の表現の情動、時間の形式、対象（空間）の獲得との三つに対応する。この三つのレベルの違う〈表出〉が、折り畳まれている発語の場が、言語表現の〈発生の機構〉をなしている、と考えてみるのだ。（同前六一—六二頁）

北川はこの表出論の三次元性は吉本に即して提案したので、別の用語も可能であると付言している。わたしの言語隠喩論は吉本の意識中心主義による二次元的表出論ではなく、言語の創造的隠喩性という一元的な仮構性を（すくなくとも詩の言語としては）主張するものであると言ってもいい。それは意識に先行することばの表出衝動という意味では北川の提案する表現の〈自己表出〉に近いとも言えるし、これまでも指摘してきたように、吉本がしばしばみずからの〈自己表出〉概念を意識のそれではなく、ことばのそれとして無自覚的に語ることがあるときのことばの〈自己表出〉にも近い。その意味では北川の言う〈価値表出〉とは言語の創造的隠喩性を書き手の意識に投映させ志向させた上位の概念として設定できるものとなるかもしれない。

この〈価値表出〉という提案にたいしてゴリゴリの吉本主義者が抵抗してみせたように、あまり受け入れられていない。わたしから見れば、吉本の中心概念でもあり生命線でもある〈自己表出―指示表出〉への修正案としては、北川のせっかくの三次元的表出論の新提案も、あまりにも発想が吉本概念に囚われているために不十分であり、根本的な批判になっていないのではないか、と思われるのである。むしろ問題なのは〈価値〉の表出なのではなく、言語における美の問題でもなく、言語表現における〈価値〉こそが問題とならなければならないのではなかろうか。

つづいて「第II章　言語の属性」の「3　文字・像」についてみてみよう。

ここで吉本はまず《まだ、**文字**（絵文字は別として）をもたなかった時代の古代人が、**文字**（たとえば万葉仮名）をつかって言語を記そうとするようになったのは、どんな意味があるのか》

という問いを立て、それは《語音をとどめ、保存しようとするよりも、言語の意味を表記しようとするにあった》(『言語美Ｉ』一〇九頁)と答えている。吉本はここでも時枝誠記の文字論に依拠していて、《文字の本質は音につかえるのではなく、言語そのものにつかえてかわるものであり、いいかえれば表音から表意へというのは言語表記の必然的な方向だ》(同前)という結論が導かれるのだが、これはおおむね妥当である。

おもしろいことに言語体系がまったく異なるインド＝ヨーロッパ語族においても同様のことが考えられている。ジャック・デリダはその最初期の仕事である『グラマトロジーについて』★6においてそれまでの音声言語中心の言語概念に対置して文字表記＝エクリチュールの根源性を提起した。デリダは冒頭で、西欧の歴史を支配してきたロゴス中心主義である音声的文字記述(écriture phonétique)(たとえばアルファベット)の形而上学はもっとも根源的でもっとも強力な自民族中心主義にほかならない(ibid. p. 11)とし、それを超克するものとして〈エクリチュールの学〉としての〈グラマトロジー〉(ibid. p. 13)を提起する。ここでは詳述しないが、デリダはこれまでのパロール(音声言語)にたいするエクリチュール(書記言語)の優位性を確立していくのである。吉本が言う《表音から表意へ》とはいささか言語構造上の相違はあるが、いずれにせよ文字に書くこと、文字化することによって言語の発展がなされたという事実に注目すべきであることにかんしては変わらない。言語学者の仕事がパロールの言語学とされるのが一般的だとすれば、ここで吉本が文字(記述)の問題に着目したことは重要であり、言語学では近づくことができない文学言語の言語的解明への出発点であることは確認されていい。そればかりではない。すこし先走ってしまうが、藤井貞和に《書くことが言語能力を開発する》（藤井前掲書八四頁）という名言があるように、文字を書くということはすでにひとつの意味措定の行為なのであり、さらにその先には価値措定行為としてのエクリチュール（書くこと）の問題が見えてくるのである。

しかし、吉本においてはそこにいくまえにいろいろな問題が生じてくる。

> 文字の成立によってほんとうの意味で、表出は意識の表出と表現とに分離する。あるいは表出過程が表出と表現との二重の過程をもつようになったといってもよい。言語は意識の表出であるが、言語表現が意識に還元できない要素は、**文字**によってはじめてほんとうの意味でうまれたのだ。**文字**にかかれることで言語の表出は、対象になった自己像が、じぶんの内ばかりでなく外にじぶんと対話をはじめる二重のことができるようになる。（『言語美Ⅰ』一一〇頁、傍点は野沢）

ここでは非常に大事なことが言われていると同時に、吉本の意識言語論とも言うべきわたしにとって看過しえない論点が露出している。ここで表出は自己像の内的表出であり、表現はその外

★6 Jacques Derrida: De la gramatologie, Les Édition de minuit, 1967. 邦訳には『グラマトロジーについて——根源の彼方に』上下、足立和浩訳、現代思潮社、一九七二年／一九七六年がある。

的表出であると理解することまでは可能である。しかしその二重過程において文字による言語の表出がかならずしも意識の表出となるわけではなく、ときによっては書くことでもともと意識にはなかったことばの表出がなされることがある、という重要な論点が見落とされている。文字に書くといってもたんなる用件の伝達などのような言語の二次的使用という側面だけなら意識の表出がほとんどそのままそこにあることは確かだが、それ以外に、たとえば手紙でなんらかの重大な真理や感覚や感情などを伝えようとするような場合でも、さらにはより文学的な表現をおこなうべく文字を書くような場合には、むしろ言語そのもののもつ力が現前するのではないか。そうした言語の一次的使用すなわち創造的隠喩性にもとづく相手との新たな感情的交流あるいは世界の新しい建立といった事態が発生することのほうがより本質的な表出／表現なのではないか。ここでは言語の表出が意識に還元されることは確実であり、そこからさらなる新しい言語が累積されていくという表現過程こそが実際に起こっていることであろう。言語のあるべき自己表出こそが意識を構成し構造化するべきなのである。そうであるとすれば、ヘーゲル主義者吉本のように意識が言語表出／表現のすべてを統括しているとしたら、そこには言語の自由なふるまいであるべき自立性も創造性ももはや存在しないことになるであろう。

精神の存在は、共同のことば、および、分裂を作りだす判断としてあらわれるので、そのことばと判断を前にして、全体の本質をなし、現実にその一部を担うとされるすべての要素は

> 解体される。ことばや判断は、そのようにしてみずからをも解体していくような精神のたわむれなのだ。こうした判断とことばこそが、すべてを押さえこんでその上に立つ真理であり、この現実世界において本当に重要な意味をもつ唯一の存在である。世界のすべての部分が、判断とことばのうちでその精神を表現される。（ヘーゲル前掲書三五六ページ）

こう書いているのは『精神現象学』のまさしく意識主義者ヘーゲルそのひとである。〈精神〉ということばがいかにもヘーゲル的で目障りだが、それを気にしなければ、ヘーゲルのほうがまだしも柔軟であり、そういう意味では吉本は前ヘーゲル的である。

> 言語には、自己表出にアクセントをおいてあらわれる自己表出語と、指示表出にアクセントをおいてあらわれる指示表出語があるように、言語本質の表記である**文字**にも自己表出文字と指示表出文字の区別があるだけで、これが本質的なのだ。（『言語美Ⅰ』一一一頁）

と吉本が書いているのは誤謬というしかなく、まったく本質的でない。文字には自己表出文字も指示表出文字もないからである。そして「2　価値」についての文脈のなかで述べたように、さまざまな品詞に自己表出、指示表出の度合いを割り当てるなどという曲芸までしてみせなければこれらの概念の無謬性を保護しきれないとしたら、せっかく文字それ自体が表出／表現の新たな可能性をもつ局面を開示してみせたのに、問題が脇にそれていってしまった観が強いのである。ここでも吉本は時枝誠記の文法論の単純な応用として〈辞〉を自己表出語とし、〈詞〉を指示表出語とみなしているようである。

ここでは端的に自己表出語とは言語それ自体の自立的隠喩性であり、指示表出語とは言語の二次性、通常言語として日常的に「使用」されるだけのことばだと言ってしまえば、問題は一挙に解決するだけである。

さらに吉本は〈像〉という問題を提出する。

> 言語が発生したはじめに、視覚が反映したものにたいして反射的に発した音声という性格をはやくからすててしまった。わたしたちの考えてきたところでは、音声が自己表出を手にいれたためだ。これによって言語は、指示表出と自己表出とのないまぜられた網目になったといいうる。
>
> もしも言語が像を喚び起したり、像を表象したりできるものとすれば、意識の指示表出と自己表出とのふしぎな縫目に、その根拠をもとめるほかはない。(同前一一四頁)

まことにふしぎな文章だと言うしかない。そもそも言語における〈像〉とは何か。それはイメージとどうちがうのか。吉本は《言語における像が、言語の指示表出の強さに対応するらしい》

（同前）と引用文のすこしまえで推定しているが、だとするならば、〈像〉とは辞書に登録ずみの言語の意味あるいはイメージにかぎりなく近づいているはずだ。サルトルの『想像力の問題』が論じていたのはそうしたイメージの想像の運動だった。吉本が言うように、カント的な想像的世界にサルトルが構造を与えたと言ってもよい。ただいずれにしても、指示表出と自己表出との関連からはこの〈像〉の構造について明確な解釈は得られないし、吉本もここでは《深入りする場所ではない》（同前一一六頁）とこれ以上の追求は断念しているようである。吉本的表出論ではこの問題は解けないのである。この問題の一部は次節で問われることになる。

「第II章　言語の属性」の最後は「4　言語表現における像」である。

ここで吉本はこれまでの記述にもとづいて（文学）言語における美の問題に近づいていこうとするのだが、これまで検討してきたように、吉本の言語論が文学言語の論としては、通常言語（言語それ自体の二次性）をもとにした意識言語論であるから文学の理論とりわけ詩の言語論としては逆立ちした問題設定になっている。ここから《言語の美のもんだい》（同前一二〇頁）をもちだそうとするのであるから、そこにはすでに芸術の〈美〉というカント的問題を問おうとするかぎり、困難は避けがたいことが見えてしまう。吉本はカントの『判断力批判』について《いまでは古ぼけた美の哲学としてひとびとの記憶の棚にしまいこまれている》（同前一一七頁）などと否定的な言辞を弄しているが、もしも本格的に文学や芸術の美の問題を問おうとするなら、この古典美学の構想力論はそんなに簡単に否定してすむものではなく、むしろいまのところ哲学的に考えうるかぎりのもっとも理にかなった解答を提出しているものとみなすべきだとわたしは思う。そうだとすれば、吉本においてはほんとうは言語における美の問題ではなくて、文学言語における価値の問題こそが問われるべきだったのではないか。すくなくとも詩を書こうとする人間だったら、自分が書こうとすることがどれほど未知のものであったとしても、そこになんらかの必然性が感じられるかぎり、これを書く価値のあるものとして探究しようとするのではないか。時枝によって示唆された〈言語美〉はその先にしか視えてこないはずである。そこが《言語学者が終ったところからはじま》る、わたしたちの詩的現場の構想力なのである。時枝の国語学がいかに優れた仕事だとしても、わたしたちはそれをふまえてさらに先へ進まなければならない。

それはともかく、吉本の言い分を聞こう。《言語の美の問題は、あきらかに意識の表出という概念を、固有の表出意識と〈書く〉ことで文字に固定せられた表現意識との二重の過程にひろげられる。もちろんその本質的な意味はすこしもかわらないのだ》(同前)とこれまでの持論を述べたあとで、こう述べる。

このことは、人間の意識を外からあらわしたものとしての言語の表出が、じぶんの意識に反作用をおよぼすようにもどってくる過程と、外にあらわされた意識が、対象として文字に固定されて、それが〈実在〉であるかのようにじぶんの意識の外に〈作品〉として生成され、生成されたものがじぶんの意識に反作用をおよぼすようにもどってくる過程の二重性が、無意識のうちに文学的表現（芸術としての言語表出）として前提されているという意味になる。

（同前一二〇―一二一頁）

ここでは吉本はみずからの意識言語論にたいして矛盾したことを言っている。はじめのほうはいつもの持論である意識の表出としての言語のようにも読めるが、このあたりもすでに混乱が見られる。なぜなら《人間の意識を外からあらわしたものとしての言語の表出》という言い方がすでに言語表出が内在的意識にたいしてもっている外部性を想定してしまっており、《外にあらわされた意識》とは意識の先行性ではもはやなくなって、言語の先行性を密輸入しているからである。その外部化された意識がさらに《対象として文字に固定され……じぶんの意識の外に〈作品〉として生成され、生成されたものがじぶんの意識に反作用をおよぼす》とは《過程の二重性》ではなく、同じ過程――言語の（自己）表出から意識への還元過程――の強度の問題にすぎないからである。ここで吉本はあきらかに持論を逸脱し、言語の自立的創造性（隠喩性）にニアミスしているのだ。ことばの文字化という問題から文字化された言語がもつ自立性にたいして吉本の意識言語論はもちこたえられなくなっている。この決定的な逆転が吉本には気づかれていないのである。

吉本の問題意識にしたがえば、《表出という概念が固有の意識に還元される面と、生成

（produzieren）を経て表現そのものにしか還元されない面》（同前一二一頁）とがあることになるが、じつはそれは本質的に同じ過程にあるものではないのか。ここで吉本の規定はすこし曖昧なところがあるのだが、言語隠喩論的に言えば、ことばの創造的隠喩性が発動することはその表出過程においてそのつど意識に還元される過程をふくむことは当然であり、それが文字化される段階で言語の先駆的創造性にたいして意識はおくれて認識するのであり、〈表現〉とはその言語的先行性であるとともに意識の認識作用の遅れでもあるのだ。これをデリダの〈差延〉（différance）概念にあてはめてみるのもおもしろいだろう。この差異と遅れを合成したデリダ独自の概念が言語的認識の基本にあることはもちろんだが、そこには言語の本質的隠喩性にもとづく自立的創造性にたいする意識や認識作用のずれと遅れが鋭くとらえられている。吉本は当時の俗流マルクス主義芸術理論などに矛先を向けているような場合ではなかったのだ。

このあと吉本は北杜夫の作品を像、意味、価値を説明するためのサンプルとしてとりあげており、既述のように指示表出と自己表出の網目にあらわれるのが像であり、この像がめまぐるしく転換するところに表現の価値を見出そうとしているが、ほとんど説得力がない。表現の価値をいうなら、こんな怪しげなところにではなく、言語が意識から独立して自己形成していくその生成の運動にこそ見るべきなのではないか。そしてその生成された言語が意識からどれだけの差異をもって自立しているか、というところにこそ表現の価値があると言うべきなのである。

3　時枝誠記の吉本批判

ここまで『言語にとって美とはなにか』の第I章、第II章についての検討を終えることになるが、ここで、これまで何度も触れたように、吉本隆明がこれほどまでに依拠している時枝誠記の言語過程説から吉本理論がどのように見えていたかを確認しておかなければならない。時枝の主体的表現理論としての言語学説はそれ自体きわめて超言語学的な問題意識をふくみ、その文法論としては固定的な意味をもつ〈詞〉と、それを包摂し表現の契機として文を構成する〈辞〉の有機的な結合と言えるもので、そこに文学的言語の価値の問題を設定している。そして時枝は〈詞〉と〈辞〉を非連続的な構造化作用とみるのであるが、吉本の『言語にとって美とはなにか』ではその非連続性が逆転されて連続説とされている、と時枝は『言語にとって美とはなにか』に根底的な疑問を提出している。時枝はみずからの言語学説が吉本によって悪用されたことに困惑しているのである。

吉本隆明氏は、その著『言語にとって美とはなにか』の第一巻において、私の言語学説を、数ヵ所にわたって、かなり肯定的に取上げてゐる。そのために、本書の読者の中には、吉本理論と私の理論とが、ある共通の地盤に立ってゐるもののやうに受取る向もあるのではないかと想像されるのである。ところが、氏の著書を仔細に見て行くと、根本的な一点において、

時枝理論とは全く背馳したものを見出すのである。それは、言語過程説理論の根本に関する問題であって、（後略）[★7]

時枝はこの論文の冒頭でまずこのような困惑とともに、吉本の無理解を批判しているのである。時枝は、吉本が自分の詞辞論にたいして自己表出—指示表出概念が関連があるかのように書いているのを確認したあとで、吉本の理論が《詞辞論とは全く正反対の、指示表出と自己表出との連続論であり、重層論であり、……詞辞が次元を異にするとする論の否定であり、詞と辞の間に対応関係があるとする論の否定である》（同前）として吉本理論を評価しない。そもそも〈自己表出〉と〈指示表出〉なる概念規定がないとして不信感を抱いているようでもある。時枝文法論にくわしい藤井貞和も『国語学史』の解説の注で吉本が《〝詞と辞とが連続する〟という、〈辞〉を〈詞〉からのグラデーションで再解釈しようとしたことは、時枝への根本的な誤読だったのではなかろうか[★8]》と指摘している。

時枝はさらに言う。

自己表出と指示表出といふことが、具体的には、どのやうな事実をいふのかは、明瞭に示されないままに、ここでは、それらの連続性と重層性とが説かれると同時に、品詞別との関連が説かれてゐる。これは、甚だ唐突な問題の提出の仕方であって、自己表出、指示表出といふことが、推論の基礎になってゐる事柄であるのか、それとも、三浦つとむ氏や、時枝の品詞分類論のやうなものが基礎になってゐるのか、その点が必ずしも明らかではない。吉本氏の論旨のままでは、時枝の詞辞論を取上げる地点に到達してゐないにも拘はらず、その到達してゐない道中で取上げたために混乱が生じたのではなからうかと見られるのである。（同前）

この時枝の最晩年（時枝は翌一九六七年に死去している）の論考は自説の利用のしかたにたいする困惑と吉本理論の思い込みにたいする牽制になっている。論考の最後には《私が氏に期待したいことは、他説などにおかまひなしに、氏の論旨を厳密に追及、展開させることをやっていただきたいことである。私の詞・辞論などを引用することは、読者を昏迷に陥れるだけのものではないかを惧れるのである》と二〇歳も年下の評論家を年長者が諫めるような口調でたしなめている観がある。ここまで言われた吉本がどんな対応をしたかは知るかぎりではないが、どうもそれにたいしてなんらかの反応をしているとは思えない。むしろ、これを認めてしまったら自分の理論が崩れてしまうだろうから時枝の批判は無視せざるをえなかったのではないだろうか。

★7　時枝誠記「詞辞論の立場から見た吉本理論」、『日本文学』一九六六年八号、日本文学協会編集。この重要な論文の教示とコピーを提供してくださった藤井貞和氏に感謝したい。

★8　時枝誠記『国語学史』岩波文庫、二〇一七年、三一六頁。

時枝からすれば迷惑な話だったかもしれないが、わたしには吉本が時枝誠記の言語学説をみずからの言語美論に利用しようとしたこと自体は全面的に否定すべきものではないと思う。時枝の言語学者らしからぬ主体的言語表現論にヒントを得てみずからの言語美論を展開してみようとしたモチーフそのものは許容されるべきだと思われるからである。すでに「文庫版まえがき」のところで引いたように、吉本は《言葉を文法的にではなく、美的に分類するにはわたしの考え方のほうが適しているとおもう。言いかえれば文学作品などを読むにはこの方がいいとおもっている》(『言語美I』一〇頁)と時枝の文法論的方法よりもみずからの自己表出―指示表出論のほうが目的に適っていると宣言しているぐらいだからである。『言語にとって美とはなにか』で時枝への言及がなされるのは次章はじめまでであることも、吉本のなかで時枝の国語学説が影響を及ぼしたのはここまでであることを示しているのではないか。ただ時枝から見ても吉本の自己表出―指示表出概念の無規定性ははっきりしていたのであって、その後、こうした視点からこの理論の基本的欠陥を指摘する者が出てきていないらしいことのほうが問題である。もしかしたら、この時枝の吉本批判文は多くの吉本主義者には知られていないのかもしれないが、このことはあらためて強調しておかなければならない。吉本を批判する言説は徹底的に無視するか否定するという吉本主義者の流儀はもはや通用しない。

4　作品は意識を超える

　ここからは「第III章　韻律・撰択・転換・喩」という、はじめ吉本言語論の核心と思っていた部分の検討に移るが、どうやらここで述べられていることは、ここまでに検討してきた諸問題の延長として、つまりそれらをすでに自明の前提として展開されているようで、根本的な問題はそのまま踏襲されているから、あらためて指摘する必要もない問題が多いようである。端的に言えば、吉本の〈自己表出―指示表出〉論は理論の段階を超え、現実の文学作品につきあてるときにその理論の欠陥をより具体的に明示することになる、ということである。そしてこの章では短歌および詩が対象とされるから、その欠陥がより鮮明に見えてくる。「第IV章　表現転移論」は「第V章　構成論」とともにこの本のなかで分量的にはもっとも長い章だが、ことばの一次的使用である言語隠喩論的な問題ではなく、言語の二次的使用たる散文の問題が論の中心になるので、わたしの関心からすれば、さして重要ではない。

　とはいえ、当初の方針を堅持して吉本の論を追跡し問題点を見ていかなければならない。まず、その「1　短歌的表現」から。

　吉本ははじめのほうで、言語表現が歴史的に積み重ねられてきたなかでいくつかの共通の基盤が見出されるとして《この表現のうちで抽出される共通の基盤は、表現としての**韻律・撰択・転換・喩**に分類すれば現在までの言語の表現のすべての**段階**をつくすことができる》（同前一二八頁）

と自信満々で述べている。はたしてそうだろうか、という誰もが感じる疑問をあらかじめ封印するかのように語るのはいつもの吉本の悪いクセだが、これになんの疑問を感じないで信じこんでしまう読者を別にすれば、われわれはもうそういう恫喝には驚かないようになっている。この文章にすぐつづけて書いているところを読めば、わたしがすでに指摘し批判してきた問題点があらためて提起されていることがわかる。

わたしたちはいままでに、意識の表出としての言語を、言語の表現にまでひろげることで、文学の表現をあつかう前提をとりあげている。書くという行為で**文字**に固定すると、表出の概念は表出と表現とに分裂する。（同前、傍点は野沢）

これはすでにわたしが批判した吉本の意識言語論の問題と、文字を媒介とする言語表現、すなわち文学さらには詩における表出／表現の本質が背馳してしまうという問題を指摘したことで、この問題設定に用心してかかる必要があることを教えている。ともあれ、ここまでの問題設定は、吉本によれば、《げんみつにいえば芸術としての言語表現の半歩ぐらい手前のところで、表現としてもんだいになることをとりあつかおうとしているわけだ》（同前一二九頁）と言い、それはまだ〈構成〉という問題を取り扱っていないからだ、とする。その問題は「第Ⅴ章　構成論」まで待たなくてはならないのだが、あらかじめ吉本の論点を言ってしまえば、《**文学作品の構成とは、**

指示表出からみられた言語がひろがってゆく力点が転換されたものをさす》（『言語美II』一一一頁）となっていて、あいかわらずの呪文だが、平たく言えば、散文的意味の叙述か言語の創造的隠喩性の展開かという力点の違いということに帰着する。もちろん吉本によれば詩は言語の自己表出の度合が強いということになるだろうが、それだったらわたしの言語隠喩論の範疇に入るだけだ。

ついで吉本は韻律の問題について、《詩は韻文で書かれることを本質的要件とする》で始まるヘーゲルの『美学』の一節を引用するのだが、これでは日本語という、インド＝ヨーロッパ語族とは根本的に異なる言語体系の韻律の問題には不十分と見たか、金田一春彦の二拍形式や時枝誠記の等時的拍音形式をもとに短歌の五・七調ないし七・五調、三十一文字形式にならざるをえなかったことを認めている。《短歌や俳句のような定型詩は、この特質〔等時的拍音形式〕が日本語の指示性の根源と密着しているために、どうしても七・五律になったものだといえる》（『言語美I』一三三頁）と吉本は書くのだが、この拍音形式が《日本語の指示性の根源と密着している》とはどういう意味か、そしてそれが七・五律になる根拠はどこにも示されていない。

この韻律の問題をさらに追究しようとするならば、ここでどうしても菅谷規矩雄の『詩的リズム――音数律に関するノート』[★9]を参照しなければならないことになる。菅谷は吉本のこの部分にたいして《吉本の〈指示性の根源＝音数律〉という定式には、ややたちいってみると理論的には

★9　菅谷規矩雄の『詩的リズム――音数律に関するノート』大和書房、一九七五年。

ひとつの飛躍があるようにおもわれる》（四三頁）としてつぎのような指摘をしている。

（〈指示性の根源＝等時拍〉――〈音数律＝表現の定形〉という）二重性を、表出から表現へと媒介し不可逆の構造をあたえる〈架橋〉については、吉本は〈韻律が音数律として七・五の三十一文字に定着していくまでに封じこめられた、しかも必然的な過程が積みかさねられた言語表出〉とのべるにとどめている。このようにどうしても必然的という観念があらわれてしまうことは、《言語にとって美とはなにか》をつらぬく〈表現〉あるいは〈架橋（自己表出）〉という主題が、韻律論においてもっとも困難にゆきあたったことを暗示していよう。（同前四三―四四頁）

菅谷にはめずらしく吉本の語ることへの後年におけるような拝跪ではなく、『言語にとって美とはなにか』の問題点を厳しく指摘している。そればかりか時枝誠記に依拠しながら吉本が論及できなかった日本語特有の音数律の問題に分け入っていく。《時枝誠記のリズム論からわたしたちが継承すべきもっともおそるべき本質的な指摘は、等時拍を音数律リズムへと構成する主動力が、ほかならぬ〈休止〉にあるという点である》（同前四四頁）と確認したうえでつぎのように決定的な定式化をおこなうのである。

ゆいいつの原理は、言語表現としてのリズム（詩的リズム）は、日本語においては休止（いわばゼロ記号の拍、無音の拍）をその本質的・不可欠の構成因として形成された（される）ということである。そしてこのゼロ記号の拍に、わたしたちの表出しうる時間性の根源が、発生史的にもこめられているのである。（同前四五頁）

日本語における詩的言語のリズム論については、この菅谷の〈無音の拍〉という定式は、時枝の等時的拍音形式をふまえたいまのところもっとも説得的な概念であるとわたしは思っている。音数律に依拠せざるをえない日本語詩歌においては、こうして理解する以外の手はないのではないか。

おもしろいことにこの『詩的リズム』にたいして吉本が寄せた跋文のなかで《わたしには、和語の詩の韻律の問題は、音数律の構成的な美に帰するよりほか、すべがないようにもおもわれた。それと同時に、言語の韻律を指示性の根源にあるもの、と定義するほかはなかった》（同前二八八頁）と率直に述べたうえで菅谷の〈無音の拍〉を評価している。

本書において菅谷規矩雄は、このいわくつきの問題を、わたしなどが打ち捨てたところから遙かに遠くまで引っぱってゆくのに成功している。（中略）菅谷が、まったくあたらしく前提したのは、等時拍である和語の言語的な特性と、詩歌の韻律としてあらわれるばあいの、音数律の時間的な長短との矛盾は、〈無音の拍〉で切り抜けられること、意味の時間的な流れには、〈テンポの変化〉が微妙だが存在することなどである。この二つの前提があれば、音数律の長短は、ほぼ同一の時間性に収斂することが説明できるし、また詩歌の終りは、徐々にゆるいテンポによって大休止にいたる過程として説明しうる。この着想は、たぶん短歌を〈韻律の意味化〉と解するかぎり劃期的なものであり、(後略)(同前二八八―二八九頁)

このあたりの吉本の菅谷規矩雄評価はさすがであるが、こうした論点をその後の『定本 言語にとって美とはなにか』には取り込んでいない。吉本のズボラさが出ているのであろうか。ところで時枝文法にもくわしい藤井貞和はこのあたりの議論をはっきり否定している。

等時拍で、自由アクセントで、単語の音数の自由な言語である日本語が、生理的に5音や7音を優先させる理由はまったくないというほかない。それら5音や7音は、ある日ある時に成立してから、かたまってしまった、まさにカノン(規範)でしかない。(中略)休止が一拍あって偶数音で落ち着くと説明する議論をしばしば見かける。すべて本末転倒というべきだ。[★10]

この藤井の批判は、沖縄の歌が6音や8音ごとに休止を入れている、とする根拠をもっており、より説得的だろう。そうすると菅谷の解釈も根底を失なってしまい、元の木阿弥となるのだが、謎は深まるばかりだ。

さて、吉本はこの「短歌的表現」節では短歌を一〇篇とりあげて具体的な解読をおこなっているのだが、どうも説得力がない。たとえば中城ふみ子の〈肉うすき軟骨の耳冷ゆる日よいづこにわれの血縁あらむ〉を取り上げて、こんな論評をくわえる。

「肉うすき軟骨の耳冷ゆる日よ」は「いづこにわれの血縁あらむ」の暗喩の役割をおっている。作品の思想的意味は「いづこにわれの血縁あらむ」だけに在り「肉うすき軟骨の耳冷ゆる」はその暗喩をはたしている。まったく即物的な意味のほかに、暗喩の役を二重に演じられるのは、この形容が視覚的と触覚的表出をすばやく転換して重ね合わせるという構成をもっているからである。（『言語美I』一四二頁）

まったく恣意的な解釈だと言うしかない。どうしてこんな無意味な解釈をする必要があるのか。中城ふみ子の歌はことばの創造的隠喩性のはたらきのままに〈肉うすき軟骨の耳〉というみずからの身体性をイメージとして造型するところからはじまり、その耳が冷えるような季節にあっては、同じように、みずからの血縁との冷えた関係がおのずと類推されざるをえないという詠嘆的

★10 藤井貞和『〈うた〉起源考』青土社、二〇二〇年、三〇—三一頁。

な抒情が引き出されてくるのであって、上三句がたんに下二句の隠喩となって従属しているわけではない。上三句から自然に下二句の詠嘆が流れてくるのであり、この連続性が中城の歌を価値づけているのである。短歌的表現とは、その表現／表出がなにものにも指示されていないという意味で、すべてが隠喩である以外にない。したがって上三句が下二句の隠喩をなしているなどということもありえない。吉本の解釈の根拠の前提には以下のような先見的な思い込みがはたらいているからではないか。

ふつう言語の喩は、喩としての役割のほかには無用で、ただ指示表出か自己表出のいずれかにアクセントをおいて、言語を連合させたのち、言語の価値の増殖をはたしてきえるものだが、短歌のばあいに特殊な喩は、二重の意味をになってあらわれる。もともと喩としてあるわけでない言語が、同時に喩を重ねて背負うのだ。（同前一四一頁）

ここでも吉本のおそるべき独断と根本的な隠喩理解の間違いが暴発しているとみなすべきだろう。《ふつう言語の喩は、喩としての役割のほかには無用》だというのはどういうことか。これではまるで文学音痴の言語学者が隠喩を無価値なものとして排除しようとする論理と同じではないか。《もともと喩としてあるわけでない言語》というのはわたしの言語隠喩論の立場ではありえない暴論でしかない。《指示表出か自己表出のいずれかにアクセントをおいて、言語を連合させたのち、言語の価値の増殖をはたしてきえるもの》とは吉本理論の自己解体を示す自爆行為と言うしかない。

こうした力みかえった吉本の表出論では文学表現の微妙な機微に触れることはできない。そうではなく、表現の現場に立つときに表現者がことばの力を唯一のたよりにするためには、もっと原初的なことばとの真摯な対峙こそが必要なのである。大岡信はその暗部をこそ平明だが明瞭なことばで語っている。

最も難しいのは、自分が一番力を入れて書こうとしていること、いわば思い詰めて考え、人に伝えたいと思っている一番大事なことをどう表現するかという問題である。強調したいことは最上級の言葉で語りたいと思うのが自然の要求であって、その誘惑は強い。けれども、私たちが採っている最上級の表現というものは、皮肉なことに、たいていの場合は出来合いのものである。概念的で通念によって汚され、ひからびた表現である場合がほとんどである。(中略)最も明瞭に人の心に叩きこみたい思いを表現するのには、出来合いの大げさな表現と正反対の方向へ向かって道を探さねばならない。すると、その瞬間から、何が最もその場に適した表現であるかについての、闇夜の手探りに似た状態に投げこまれる。通念の次元ならきわめて通りのいい種類の言葉を投げすてた瞬間から、人は常に、最初の一語をどう発するか、という、いつの時代にも変らない表現者の初歩的で究極的な困難に新たに直面しなけれ

ばならない。[★11]

われわれはこうした表現の現場にもっと原初的に立ち向かうべきではなかろうか。言語隠喩論はそうした立場に立とうとするのである。

詩的な言語構成（短歌や俳句の言語も当然ながらふくむ）は大所高所からの言語理論でもって必然化されるようなものではなく、大岡信が言うように、まったく逆に《出来合いの大げさな表現と正反対の方向へ向かって道を探》すことであり、《何が最もその場に適した表現であるかについての、闇夜の手探りに似た状態に投げこまれる》ところから《人は常に、最初の一語をどう発するか、という、いつの時代にも変らない表現者の初歩的で究極的な困難に新たに直面しなければならない》のである。言い換えれば、詩を書くという選択は通常のことばに流れようとするその尖端で未知なる闇の世界のなかにことばを差し向けるという賭けなのである。そうでなければ意味の一貫性は保証されるかもしれないが、そのことばはすでにして詩のことばであろうとすることを断念したものとみなされるしかない。

ここにはどんなに実績のある詩人であろうと、あらたな一篇の詩を書こうとするときに対面しなければならない〈ことばの力〉という啓示がどういうものであるのかが実感をこめて告げられている。まさしく、萩原朔太郎が告知した《詩人があつて、言葉が出來てくるのではない。言葉があつて、詩人が生れてくるのである》（『全集第六巻』四五六頁）という、あの決定的な詩の原理をあらためて思い出すべきであろう。これらは逆説でさえもない言語創造をめぐる根本原理である。わたしの言語隠喩論はそういう創造の原理的立場に立とうとするもので、ことばをなにものにもとらわれずに書こうとする人間が、ことばの初源的な力への没入ないし観入に依拠してことばを紡ぎだすことのみによって、ことば以外のなにものでもない言語的世界を構築しうることをことばの原理として支持するのであって、それ以上の価値を求めないのである。だから二流以下の詩人が得々として述べたがるように《詩はことばの遊戯以外のなにものでもない》というような低次元のものではないのである。そしてまた一方、吉本隆明のように詩は意識からのみ発出するものであって詩のことばはそうした高度な意識の表象としてしか存在せず、そうした意識の〈自己表出〉でしかないのだとすれば、詩の言語とはおそろしく狭隘な、自由な飛躍も思いがけない展開の可能性も生まれることができないものとなるだろう。もちろんひとがなんらかのことばを書こうとする意識が事前に存在しないなどと言っているわけではない。そう思いたがるひとがいるからあらかじめ言っておかなければならないのだが、詩人がすべて無意識に言語を書こうとするわけではないのはもちろんであって、最初の方向づけとしてたんなる制作意識的な準備や作動がなされるとしても、どこからかそういう意識の呪縛を離れてことばが自立して動きだすところまでいかなければ、詩のことばがほんとうの意味で自由になったとは言えない、そのことをわたし

★11　大岡信『ことばの力』花神社、新装版一九八七年、一一二―一一三頁。

はことばの創造的隠喩性と呼んでいるのである。

だから『言語にとって美とはなにか』の「第III章　韻律・撰択・転換・喩」の「1　短歌的表現」にかんする分析ですでに見たように、吉本がことばを隠喩と切り離して、短歌のことばの本質的隠喩性を見ることができず、《言語の喩は、喩としての役割のほかには無用で、ただ指示表出か自己表出のいずれかにアクセントをおいて、言語を連合させたのち、言語の価値の増殖をはたしてきえるものだ》（『言語美I』一四一頁）などと書いているのを読むと、吉本は隠喩をことばのひとつの機能としてしか理解していなかったことが明らかとなる。これではことばはときになにか別の意味をもあらわす場合があるという従来からの転位理論、代理表象論を一歩も出ていないのである。だからこそ（かつての盟友であった）鮎川信夫の『現代詩作法』の比喩論などといった、よく整理はされているがしょせんは旧態依然たる隠喩論（および直喩論などをふくむ）を評価してしまうのである。このあたりのことはすでに『単独者鮎川信夫』[★12]の第4章「鮎川信夫と表現の思想」第一節「隠喩をめぐる言説」で批判的に言及してあるので、ここではこれ以上は論ずる必要もないだろう。

さて、そういうわけで「第III章　韻律・撰択・転換・喩」の「2　詩的表現」の節にすでに入り込んでいるのだが、すでに触れたように、いまや古めかしい記号論者にすぎないピエール・ギロー『文体論』の《壁画的分類》を批判しつつ《欲しいのは壁画ではなく言語本質から喩を理解することだ》（『言語美I』一四七頁）と吉本は言うのだが、鮎川の隠喩論を紹介したあとで、こんどは〈像的な喩〉と〈意味的な喩〉という新しい概念を持ち出してくる。

> わたしたちは、ただ像的な喩と意味的な喩の両端があり、価値としての言語の喩はこの両端をふまえた球面のうえに大なり小なりそのいずれかにアクセントをおいて二重性をもってあらわれてくるといえば充分だとおもう。これが喩の本質で、（後略）（同前一五〇―一五一頁）

吉本は往々にしてみずからの論理に酔って独りよがりな言説に悦に入ってしまうところがあるが、ここなどもそうした悪癖の典型だろう。こうした理論を鵜呑みにするひとはわかったつもりでいるだろうが、ことばに意味と像があることは了解しうるとしても、それらが〈像的な喩〉と〈意味的な喩〉となるとは、そもそも言語が本質的に隠喩であることをあらかじめ認識できていないかぎり、とくに意味をもたない。意識言語論者である吉本はしばしばこういうみずからの理論の空転をさらして論理に混乱をもたらしている。だからしばしばわたしの言語隠喩論的な発想に近い発言も無意識にしてしまうのである。いま引いた部分のすこしあとで吉本は言う。

> 喩は言語をつかっておこなう意識の探索であり、たまたま遠方にあるようにみえる言語が闇

★12　野沢啓『単独者鮎川信夫』思潮社、二〇一九年。

のなかからうかんできたり、たまたま近くにあるともおもわれた言語が遠方に訪問したりしながら、言語と言語を意識のなかで連合させる根拠である現実の世界と、人間の幻想が生きている仕方が、いちばんぴったりと適合したとき、探索は目的に命中し、喩として成り立つようになる。（同前一五一頁）

さすがの吉本も自分の本来の理論的方向とはどこか行きはぐれた地点に陥ってしまったからか、どこかあいまいな言い方で途方に暮れているようにも見えるが、このどこかたどたどしい言い回しのなかで言われていることは、さきほど大岡信が言っていたように、《闇夜の手探りに似た状態に投げこまれる》ところでの言語の探索が（意識ではなく）言語それ自体の資格で《目的に命中し、喩として成り立つ》という事態そのものである。《喩は言語をつかっておこなう意識の探索》なのではなく、言語の探索それ自体が言語の本質的隠喩性の発現であり、それが意識化されることはあっても、そうした意識はたんに、事実はそうであったのか、という事後的な言語的発見に付随するものにすぎない。そこにおいて〈像的な喩〉と〈意味的な喩〉などたいして意味をなさないのである。吉本は意識とその表象であるとする言語の自己表出論にとらわれるあまり、〈ことばの力〉の本質を見誤り、ただことばの力が意味や像をもたらすだけであるのに、それが言語の創造的隠喩性、本質的世界開示性であることをみてとることができないために無用な二次的概念を引っぱりだしてきて、それらの〈二重性〉の両端のどこかに位置づければことばの〈価値〉が計れると錯覚しているにすぎない。

そこから出てくる結論はこうだ。

おそらく、喩は言語の表現にとって現在のところいちばん高度な撰択で、言語がその自己表出のはんいをどこまでもおしあげようとするところにあらわれる。〈価値〉としての言語のゆくてを見きわめたい欲求が、予見にまでたかめられるものとすれば、わたしたちは自己表出としての言語がこの方向にどこまでもすすむにちがいないといえるだけだ。（同前一六〇頁）

ここで吉本はみずからの意識言語論的立場からいくらか逸脱して言語隠喩論的な言語の意識にたいする先行性、優先性に必然的に接近してしまっている。すくなくとも〈詩的表現〉を論ずるならば、《喩は言語の表現にとって現在のところいちばん高度な撰択》なのではなく唯、一、の、選択でしかない。隠喩をことばの使用における選択肢のひとつと想定しているかぎりは、せいぜいのところ《いちばん高度な撰択》（の可能性）でしかないのは論理的必然というものであろう。《言語がその自己表出のはんいをどこまでもおしあげようとする》ことこそ詩のことばがその創造的隠喩性を極限まで発揮しようとすることのほんとうの意味なのである。

こういう根本的な理解がないために、この節での（主として黒田三郎などの）『荒地』派詩人たちの詩を〈詩的表現〉の実例として挙げてみても、鮎川的比喩論の視点からしか取り上げることができていないために、喩としても陳腐なものにとどまっている。一例を挙げれば、〈運命は／屋上から身を投げる少女のように／僕の頭上に落ちてきたのである〉（黒田三郎「もはやそれ以上」）といったような直喩を〈意味的な喩〉だなどと言われても、喩とはその程度のものかと思われてしまうぐらいのつまらないものにすぎない。ここには日常生活レヴェルでの平凡な発見があるだけなのである。

つづいて「第III章　韻律・撰択・転換・喩」の「3　短歌的喩」の節に移るが、これはこの章の「1　短歌的表現」と内容的にも重複しており、吉本隆明の意識のなかでは〈短歌的表現〉と〈短歌的喩〉が別の位相にあるものととらえられていることを示すにすぎない。ここで吉本が言おうとしているのは短歌や俳句が音数律という形式をもっているためにその価値評価は《〈省略〉の美的もんだい》（同前一六二頁）にかかっており、《この〈省略〉をむすびつけ作品としての自立性をあたえているのは、音数律となってあらわれていく指示意識の根源としての韻律なのだ》（同前）という、すでに菅谷規矩雄『詩的リズム――音数律に関するノート』にかんしてみたように、吉本の〈指示性の根源＝音数律〉という考えは吉本自身が認めているとおり音数律にかんして中途で投げ出された考えであって、意味をなさない。歴史的に累積されてきた日本語経験としての独自の音数律とは《指示意識の根源としての韻律》などという曖昧なものではないのだ。ここから導かれる吉本の考えもまた奇妙なものである。

〈省略〉は定型の作品を懸垂の状態におく。俳句を読むことは作者の実体をあらわす言語にゆきつく以前の懸垂状態のまま、音数律に美的構成を感じるかどうかという特殊な詩型の問題なのだ。これは短歌のばあいでも別ではない。（同前）

なんのことはない、俳句や短歌は作品の背景が省略されているから、その作品の評価は音数律から感じられる美的構成として評価するしかない、と言っているだけである。そして短歌にも詩におけるような喩が使用されるのは《おおきな意味をもつ》（同前一六三頁）などと言わずもがなのことを、しかも間違ったかたちで言っている。そもそも短歌的喩などというものはなく、短歌も俳句も詩の一種だすれば、こうした詩的言語構成においては言語は喩以外のなにものでもないのである。短歌も俳句もその定型という形式の言語構成のなかでことばの本質的隠喩性がどのように評価されうるのか、というだけの問題であって、それは詩の評価と原理的には同じ問題である。

わたしたちはここで、まだ韻律―音数律が喩にあたえる働きのむつかしさのなかにさまよっている。おそらく、短歌的なものの単純な中味が、どうして音数律のなかでひとつの自立した美をあたえるかという問いには、それが日本の文学（詩）発生いらいの自己表出のいただきに連続したつみかさねをもつからだというかんがえをもってこなければとけない。（同前一

七一頁）

吉本はみずからの問いが完全に行き詰まったことを正直に述べているが、もちろん、ここで吉本が提出している答えかたでは、この問題が解けないことは誰にもわかるだろう。自己表出論だけに依拠するかぎり言えることはここまでだからだ。もっともこれは吉本ならずとも、短歌形式、俳句形式のなかでの言語の創造的隠喩性の探究にとっても容易な問題ではなく、定型という別個の問題と同時に言語の隠喩的可能性の問題を考えなければならない厄介な問題なのである。

最後に「第III章　韻律・撰択・転換・喩」の「4　散文的表現」をみよう。しかし、ここでも吉本はみずからの論理展開に自信をもちすぎているためにその論理がまったくの独りよがりにすぎないことに気がついていないか、どこか怪しげなところがあることにうすうす気づいているのでなおさら強引に自説を押し通そうとするしかなくなっている。

わたしたちは、喩と喩のなかでの**韻律**のはたらきと、言語の**韻律**のはたらきをながめることで、つぎのようなことをみてきた。ひとつは、ある作品のなかで場面の**転換**はそのまま過程として抽出せられたとき**喩**の概念にまで連続してつながっており、また、**喩**はその喩的な本質にまで抽出せられない以前では、たんなる場面の**転換**にまでつながっているということだ。

（同前一七五頁）

これはこの章のタイトル〈韻律・撰択・転換・喩〉にこじつけて展開された総括的な文章だろうが、もともと喩の概念規定がたんなる修辞的技法のひとつとしてしか設定されていないので、定型としての短歌や俳句の場合には、実際に省略が多いために喩としてのことば同士のあいだに場面の転換が生じやすいからそれらのことばはそのまま喩として通用し、そうでない散文の場合にはそういう喩としての確立が得られないためにたんなる場面の転換に終わる、ということにすぎない。一見おそろしく晦渋に見える吉本の文体はまったくあたりまえのことを粉飾しながら自説のもっともらしさを言おうとするために、こんな無理な文章を押し通そうとするしかないのだ。逆に言えば、こうした総括的な文章がこれほど無内容にならざるをえないところに吉本理論の破綻が証明されている、と言うべきだろう。散文的表現などというものは言語の二次的な使用としての〈死んだ隠喩〉が蓄積され平板になった辞書的意味をベースに仮設された文章の連続にすぎず、そこに場面の転換などがあったとしても、それは論理的な展開またはストーリー上の要請のうえでそうなるものにすぎない。短歌や俳句という定型文学の場合は、それぞれのことばが創造的隠喩性として定型のなかでいかに実現されうるかという言語的試みなのであるが、散文的表現の場合はそれとは異なりある程度その意味の連続性が保証されている散文的論理世界のなかでいかに緻密に既成の言語を組み立てるか、という問題なのである。そこに言語の自己表出ともおぼしい隠喩的あるいは直喩的なことばを修辞的に使用してみることも部分的には起こりうることだが、それは論理に綾をつけているだけのことである。詩や短歌、俳句のことばは、それが定型か不定型かにかかわらず、ことばの本質的隠喩性に依拠するしかないのにくらべて、散文的表現では論理や文脈、説話的構成が主導的で、ことばの隠喩性は「利用」「使用」の範囲にとどまるのである。そこでこそ意識が言語に先行し、優先されるのである。

ともかくここで問題だらけの「第III章　韻律・撰択・転換・喩」は終わる。そしてわたしたちは、かつてこの原理的な書をありがたく読んでそれなりに理解したつもりできたことに、あらためて愕然とせざるをえないことに気がつく。

5　ほんとうに転移などあるのか

さて、ここから長い「第IV章　表現転移論」に移ろう。この章は四部で構成されていて、そのIとIIが近代表出史論、IIIが現代表出史論、IVが戦後表出史論、となっているが、その多くは小説を中心とした実例の分析になっている。したがって本論の目的は原理的詩論にあるし、すでに述べてきたように、小説という言語の二次的使用を基本とする言語構成の問題はとくに問う理由が乏しい。以下はあくまでも概略を確認するにとどめ、言語隠喩論的に論ずるべき問題点だけを抽出するかたちで進めていくことにしたい。

その意味では「第I部　近代表出史論（I）」の「1　表出史の概念」には目をとめておく必要はある。しかし、ここでも吉本は〈自己表出〉—〈指示表出〉の概念への固執から考えていくので、原理論的発展性に乏しい。

> ひとつの作品から、作家の個性をとりのけ、環境や性格や生活をとりのけ、作品がうみ出された時代や社会をとりのけたうえで、作品の歴史を、その転移をかんがえることができるかということだ。いままで言語について考えてきたところでは、この一見すると不可能なようにみえる課題は、ただ文学作品を**自己表出としての言語という面**でとりあげるときだけ可能なことをおしえている。いわば、自己表出からみられた言語表現の全体を、**自己表出としての言語**から時間的にあつかうのだ。（同前一九四頁）

こういう主張はここまで見てきた吉本隆明の『言語にとって美とはなにか』の論理展開からすれば、こうなるしかないであろうが、すでに指摘してきたことから言えば、どだい無理な設定である。引用の前半はあえて言えば、かつての（吉本のこの本が書かれていた当時の）構造主義的読解の方法にいくらか似ている。つまり、作家の伝記的事実からの演繹によって成り立ってきたこれまでの実証主義的方法を否定して作品のテクストのみから作品を解釈するという方法である。

吉本には以前からこうした構造主義者的な側面があり、それを実践しようとしているようだ。しかしここでも吉本が相手にしようとしているのはジェルジ・ルカーチやアンリ・ルフェーヴルといったマルクス主義的哲学者の〈上部構造〉論的還元論なのだ。こんなことはいまや吉本に教わるまでもなく、言語作品がイデオロギー的な価値評価と独立して生成し、テクストとして完結するという事態はもはや疑われることはできない。

これらの哲学者は、現在の世界でほかのことでは、第一級の力量をしめしているのだが、芸術・文学の分野にはいってくると、ただなにものかに理論外の禁制をこうむったはかない存在にみえる。それは能力や論理力の欠如ではないなにものかなのだ。この世には、なにかのために禁制を保たねばならないような至上物はどこにも存在しえない。凡庸であることのほんとうの意味をしらぬ人格のなかにすみついたおおきな思考力と論理の錯誤。（同前一九三頁）

マルクス主義的文学・芸術論がその理論的発想源たる唯物史観や物象化論に依拠するかぎり、文学・芸術が至上の価値観に奉仕するべきものと考えられてしまう——吉本はこういう時代遅れの文学・芸術批評にたいして必要以上にダメ出しをして自分の立論の優位性を証明したつもりになっている。そこからこんな本音が出てしまう。——《かれらはわたしよりも優れた哲学者かもしれぬが、子供にもわかるような愚かな見解をぬけぬけと語るときがある。しかしわたしは、そんな愚かさはただの一箇所も示していないことはだけは断言できる。》（同前）――よせばいいのに、こんな板についていない江戸っ子的な啖呵を切ってみせるから、わたしなどからみると、そうじゃないんじゃないの、《ただの一箇所》どころか、自己矛盾と間違いだらけじゃないの、と半畳のひとつも入れたくなるのだ。わたしに言わせれば、吉本の言説自体がすれた大人にもわからないような見解をぬけぬけと断言しているようにしか思えないからだ。そのすこしまえでも吉本はこんなことを言っている。

ただ批評家は、じぶんの批評方法こそが正当だなどと主張しさえしなければいいのだ。いいかえれば、文学の理論を具象物としての文学作品をもとにしてでっちあげようとさえしなければ。（同前一八八頁）

こういう吉本の〈自己表出〉―〈指示表出〉論にもとづく言語美論などはその最たるもののひとつではないかといまや思うしかないのだが、当人はどうもそう思っていないらしい。

つぎに「第Ⅳ章　表現転移論」「第Ⅰ部　近代表出史論（Ⅰ）」の「2　明治初期」以降を見ておこう。ここでは江戸末期から明治初期につながる勃興期の明治文学の歴史を、さしあたり坪内逍遙の『当世書生気質』を頂点とし、そこに〈話体〉〈文学体〉といった文体上の差異と変動、その総体的な〈文学体〉への移行をさまざまな作品に紐づけながら分析していく。このあたりでは二葉亭四迷の『浮雲』を内田魯庵などの評価を踏まえながら、表現の意味を〈表出位置の分離〉をおしすすめたことである（同前二〇六頁）などと自己流の解釈をくわえている。「3　『舞姫』・『風流微塵蔵』」では森鷗外の『舞姫』での《作者の表出の位置があるはっきりした遠近感で定着されている》（同前二一四頁）ところにその新しさを見ていく。「4　『照葉狂言』・『今戸心中』」では、あらためて〈話体〉〈文学体〉の上昇と下降の振幅のなかに、泉鏡花の『照葉狂言』などをもとに《ある時代的な言語表現の空間をつくっている総体》（同前二二二頁）といったところに時代の表出—表現意識の進化と拡大をみていく。「5　『武蔵野』・『地獄の花』・『水彩画家』」では国木田独歩の『武蔵野』をはじめ永井荷風や島崎藤村の文体がこれまでの表出—表現の位置をよりはっきりつかんだ（同前二三〇頁）というふうに指摘し、自然主義への道を拓いたとする。大ざっぱに要約すると、「第I部　近代表出史論（I）」は明治三十年代前半まで、すなわち十九世紀から二十世紀に時代が変わろうとするころの主として小説家（作家）の表出—表現意識の自己表出性変容として吉本はとらえようとするのであって、これは近代詩の世界においても象徴主義の詩が勢いを得てきた趨勢とパラレルであると言えないことはない。ここでの吉本の分析がどこまであたっているかはわたしの関心の薄いところなので、当たらずとも遠からずだろうと解釈しておこう。当時の小説家（作家）の表現意識というものが創作意識の自覚度の進展によってそれなりの変遷を遂げてきただろうことは、これまでの文学史とは異なる角度から吉本の表出論が照明を当てようとしたことは評価していい。

＊

つづいて「第Ⅳ章　表現転移論」「第Ⅱ部　近代表出史論（Ⅱ）」の「1　自然主義と浪漫主義の意味」について見ておこう。

ここでは「第Ⅰ部　近代表出史論（Ⅰ）」で明治三十年代前半、すなわち十九世紀から二十世紀の変わり目あたりに西欧から導入されてきた自然主義（および遅ればせの浪漫主義）が日本の主として文壇（小説界）に及ぼした影響と、それを受けながらの明治日本独自の社会事情、さらには文学言語における特殊な発展などを吉本ならではの理論枠組のなかで展開しようとしている。ここではまず藤村の『破戒』が取り上げられるが、吉本は通常の文学史理解とは異なって、自己表出の言語構造としては『破戒』はとくに新しいものではないとする。

自己表出として跳躍をはばまれた言語は、むしろ指示表出としてかつてない多様さとひろがりとをみせた。おそらく日露戦争後の社会のひろがりとかかわり方がこの時期の表現に特徴をあたえている。（同前二三三頁）

こうした時代の転換期、そこへ日露戦争といった事変による同時代的な社会意識の混乱と覚醒の時期にあっては、まだしっかりとした近代意識も表現手段としての日本語の確立もできていない多くの小説家たちが、にもかかわらず、表現―表出意識の革新よりも表現域の拡張によってこの時期あたりから読者を急速に拡大していったという事実は、詩が文壇から排除されていることにたいする萩原朔太郎の切歯扼腕ぶりを想起するだけでも、自然主義といういわば無方法の方法にすぎないものが、文学の王道であるかのように時代をリードしていたことを理解しうるのである。言語の散文性（第二次性）に依拠する小説言語が、表現―表出意識の革新といった先駆性や実験性よりも社会の現実問題に直接かかわっていくわかりやすさによって民衆に浸透しやすいのはいつの時代でもあるだろうが、とりわけこの時代の変わり目たる明治三十年代末期から昭和初年代ぐらいにかけては、人間の生き方、社会の方向性などが未明の時代であったから、こうした現実的なわかりやすさこそが日本の自然主義の勃興と盛衰を本質的に推進するものであっただろう。

表出史的にみれば、自然主義の開幕の時期が、まさに文学者たちに多様な指示表出の意識を開化せしめた時期であったという点にこそ重要な意味があった。「破戒」と同年に漱石の「草枕」や二葉亭の「其面影」のような異質な作品が同在し、「蒲団」とおなじ年に、鏡花の「婦系図」や、漱石の「虞美人草」や、四迷の「平凡」のような、とうていおなじ対他意識からうみだされたとはかんがえられない異質の作品が、それなりの必然でいっせいに開化していた事実のなかに、文学史家のいう自然主義文学期の重要さのすべてがこめられていた。

（同前二三五頁）

ここで《多様な指示表出の意識》ということが言われているが、これは一般に主題（テーマ）とか思想（観念）といったもののことであろう。ことさらに〈指示表出〉などとむずかしそうに言わずとも、この時期の自然主義作家は言語の散文性という言語の二次的表現にもとづいて既成のイメージ、既成の意味（＝指示表出）からなにがしか時代に対応する社会的な観念や意味を創出しようとしたのである。小説とはストーリーの必然的な組立てをいかに実現しうるか、そのなかで個々のことばをいかに活性化してみせるかの技術の展示場であり、そこに仮想的生命をあたえる書き手の持続する精神と意志の結合以外のなにものでもない。ことばはそのとき書き手の意のままに処理しうる道具でなければならない。自然主義とはその意味でも方法なき自然の力動そのものである。

時雄は机の抽斗（ひきだし）を明けて見た。古い油の染みたリボンがその中に捨ててあった。時雄はそれを取ってにおいをかいだ。しばらくして立ち上がって襖を明けて見た。大きな柳行李が三個細引で送るばかりにからげてあって、その向こうに、芳子が常に用いていた蒲団――萌黄唐草の敷蒲団と、綿の厚く入った同じ模様の夜着とが重ねられてあった。時雄はそれを引き出した。女のなつかしい油のにおいと汗のにおいとが言いも知らず時雄の胸をときめかした。

夜着の襟のビロードの際立って汚れているのに顔を押し付けて、心のゆくばかりなつかしい女のにおいをかいだ。／性欲と悲哀と絶望とがたちまち時雄の胸を襲った。時雄はその蒲団を敷き、夜着をかけ、冷たい汚れたビロードの襟に顔を埋(うず)めて泣いた。★13

ここで田山花袋は立ち去った美しい女弟子への充たされなかった性欲を残り香をかぐというあられもない行為によって表出する位置を選択した。ここには時代に先駆けた内心の表出という方法はあったとしても、作家の表出―表現意識としては個人の秘すべき内実を外部に露出させてみせるだけのものにすぎなかった。そこに時代的制約があったとしても、性欲という自然をゆがんだかたちで表象するしかなかった花袋の、吉本的に言えば、自然主義の表現―表出意識はその程度に希薄なのである。

つぎに「第Ⅳ章　表現転移論」「第Ⅱ部　近代表出史論（Ⅱ）」の「2『それから』・『ヰタ・セクスアリス』」以降の吉本による作品解読をざっとみていこう。

2節では、森田草平の『煤煙』に影響されたらしいとして漱石の『それから』がそれまでの『吾輩は猫である』『坊っちゃん』『草枕』『三四郎』あたりまでの文体からの文学体への移行として把握され、逆に鷗外の『ヰタ・セクスアリス』が『舞姫』『うたかたの記』の文学体から話体への移行がみられると論じている。『それから』は自然主義を通過した漱石の《文明開化の近代の膨張に彷徨をよぎなくされた知識と生活の運命を象徴するドラマ》（『言語美Ⅰ』二五二頁）であり、吉本はここに漱石の《根源的な現実性》（同前二五三頁）をみるが、ここには小説家としても成熟し、ひとりの人間としてもさまざまな経験を踏まえてきた漱石のひとつの転機としての作品である『それから』が吉本的な文脈でとらえられている。「3　『網走まで』・『刺青』・『道草』」では、志賀直哉、谷崎潤一郎を対比させ、谷崎的話体の特徴を《対象の〈意味〉》にではなく《対象と自己のあいだにおこる〈情動〉そのもの》（同前二六三頁）におくところに谷崎の《思想的な空白も小児性も》（同前）あらわれているとする見解は承認できる。ここでも徳田秋声や鷗外は表出史上の意味としては志賀、谷崎に及ばないものとされるが、一方で漱石のとりわけ『道草』への評価がきわだつ。

表出史としてみるとき、漱石の「吾輩は猫である」から「明暗」にいたる道すじは、一路緊張と上昇の連続だった。そして、すくなくとも「それから」以後の漱石は、いつも同時代の表出の頂きをはしりつづけたといっていい。このことは、日本の知識人のもんだいの内的なまた外的な要因のすべてを、すくなくとも「それから」以後の漱石はごまかさずにじぶんの意識のもんだいとしてうけとめ、悪戦をやめなかったことを意味している。（同前二六五頁）

★13　田山花袋『蒲団』、『蒲団・一兵卒』岩波文庫、改版一九七二年、八三―八四頁。

《わたしは鷗外の文学を好まない》(同前二五四頁)と公言する吉本はあきらかに漱石のほうに傾いているが、この点、わたしにも異存はない。「4　『明暗』・『カインの末裔』・『田園の憂鬱』」では芥川龍之介が鷗外の史伝小説を話体から文学体へ上昇させ、反対に菊池寛は話体の広がりのほうへさらに進めたことを指摘したあとで、漱石の『明暗』は話体と文学体のさらに高次な段階での融和を示したなどと書いている。そして《近代小説のなかで、ある必然をもって散文に喩法をみちびいたのは、漱石の「それから」が最初である》(同前二七七頁)としていくつかの直喩的な例を挙げ、そこに《独特の像的喩》(同前)をみようとしているが、すでに何度もみてきたように、小説のなかの喩などというものは、いかに漱石が意識的な小説家であっても、いやそうであるがゆえによけいに、《文体を明瞭にするのみならず、平凡でないものをつくり出すためにきわめて役立つものとして、語の延長や縮小や変形がある》(アリストテレス前掲書八四ページ)とするアリストテレス的な功利性を出るものではない。同じように、有島武郎や佐藤春夫の小説にみられる直喩などにたいする吉本の評価にも説得されるものはないのである。

*

つぎに「第IV章　表現転移論」「第III部　現代表出史論」を見ておこう。

このIII部は五〇ページ近くあるが、主として大正末期から昭和十年代前半の小説世界を取り扱っている。どうして〈現代〉なのか、つぎのIV部が「戦後表出史論」となっていて順序が逆じゃないかとも思われようが、これは吉本が執筆していた時点では戦後が真っ最中ということもあって、いまふうの〈現代〉とは異なる時間感覚で受けとめるべきなのだろう。近代のあとをうけた時代としての現代、というふうに。

それはともかく、ここでは新感覚派文学運動から始まり、戦前期の鬱屈した時代相のなかでの小説家の苦難が取り上げられていると言っていいだろう。

「1　新感覚の意味」では新感覚派として登場してきた横光利一の文体が、現代という時代の平板化され一律化された状況に対応して表出の主格と表出の対象が等質で交換可能なものとなったことを実例を挙げて論証している。しかもそれが文学流派を問わず、多くの小説家の文体に浸透していくところも確認している。吉本は一貫して〈表出〉の視点から論じているから、この時代の小説家の表現者としての問題はこの一点にひきしぼられる。

文化の歴史は、あとからみれば批判の対象であるが、ある時代の渦中ではなまなましく避けがたい圧力ににている。作家たちはそれぞれの仕方でこの圧力を解こうとし、また解きえたと信ずる表現者としてしか存在しない。近代の表出史は、この均質化された〈私〉の意識面で、現代表出史としてあらわれたといっていい。（『言語美Ⅰ』二八二頁）

むずかしそうに見えるが、なんのことはない、作家（表現者）はいつの時代にあってもその時代の根底に立脚しうる表現（言語表出）の問題につきあたっている。時代が近代から現代にわたってくるにしたがって表現（言語表出）がより個的な様相を強めてきていることは間違いないから、書き手は個としての根底で言語そのものの組成にたいして以前よりいっそう真剣に取り組まなければならなくなった、ということである。

近代の表出史ははじめて大正末期に、ある想像線を設定し、その想像線のなかでは現実的な序列とちがった表現の対象があつまって、並列にならぶことができた。その無秩序が表出としてありうることを確証したといってよい。これは表出史としてみれば、現在までにかんがえられる最後の水準に言語空間が足をふみいれたことであった。（同前二八六頁）

吉本らしい大上段から構えた論法にひとはえてしてひれ伏してしまいがちだ。だが、自然主義的文学の平板さにあきたらず新感覚派としていっせいにあらわれてきた新しい自己表現（言語表出）の水準はなにやら怪しげな〈想像線〉などという概念を参照させなくても、他者の表現（言語表出）との競合のなかからさまざまな表現技法や言語表出の観念を日々うみだしていく。それは詩においても同じだが、言語の二次的使用を原理とする小説世界においてはより意識的な先行が駆動する表現（言語表出）が問題化しやすいためにこうした総括が見えやすくなるだけだ。《〈新感覚〉は、どうしてもなくてはならない運命のように大正末年から近代の表出史にあらわれた言語の自己表出意識の飛躍と励起だった》（同前二九二頁）と吉本が言うのもこうした表現（言語表出）のポテンシャルのひとつの例にすぎない。

「2　新感覚の安定（文学体）」では、新感覚派文学運動について小林秀雄の言う〈観念の崩壊〉ではなく《〈私〉意識の崩壊》（同前二九九頁）ととらえることによって、この文学意識はある普遍性をもつとされ、横光利一の『機械』がその典型として取り上げられる。この作品は《横光利一じしんにとっても劃期的だったばかりでなく、近代の表出史に新しい**文学体**をみちびきいれたことでも劃期的だった》（同前三〇四頁）とされる。一方では、小林多喜二の『蟹工船』などで多用される喩がプロレタリア文学としての自己を意識するあまり〈理念としての喩〉（同前三〇九頁）になってしまっていると批判している。「3　新感覚の安定（話体）」では、文学体と話体は言語の自己表出の上昇と指示表出のひろがり、多様化としてとらえられる。（同前三一一頁）戦前の〈私〉意識の崩壊を《積極的な意味で**構成的な話体**の意識としてとらえたのは、おそらく太宰治だけだった》（同前三二〇頁）とするが、このあたりは戦前期日本社会の軍国主義化にともなう個の意識の低迷によるものであろう。「4　新感覚の尖端」では、昭和十年代前半、第二次世界大戦直前の時代状況のなかで《**文学体**の横すべりとか拡散とか風化といった消極的な位置づけ》（同前三二一頁）として解体していく〈私〉意識のなかでかろうじて伊藤整、堀辰雄、中野重治らの作品が文学体をささえるしかなかった悲劇として論じられる。時代状況からしてそうならざるをえなかったろう。

＊

最後に「第Ⅳ章　表現転移論」の「第Ⅳ部　戦後表出史論」をざっと確認しておこう。

まず「1　表現的時間」では〈戦後〉とは《近代以降の歴史のなかで位置づけられるはずの時期になっていて、当然位置づけるべきでありながら、いまもって対象として位置づけられない余韻をひきずった時期》（同前三二八頁）とおよそ明快とは言えない意味づけをしている。これは『言語にとって美とはなにか』が書きすすめられた時期にはまだ戦後という時間の感覚と意識が総体としてとらえられていなかったからだろう。すくなくとも現代詩にたいしては後年の『戦後詩史論』において《戦後詩は現在詩についても詩人についても正統的な関心を惹きつけるところから遠く隔たってしまった。しかも誰からも等しい距離で隔たったといってよい[★14]》として吉本が詩の〈戦後〉という時間が詩の表現（言語表出）のなかでもはや意味をもたなくなったと託宣を下したときに、小説の〈戦後表出史〉においても同様な問題が起きていたと把握していたにちがいない。〈戦後〉のあとに現代がくるとはそういうことでなければならない。戦後詩から現代詩へという流れは《感性の土壌や思想の独在》によってよりも《修辞的なこだわり》（同前）において特徴づけられた。このあたりで吉本の詩的把握力はすでに限界にきていたことがいまならよくわかる。すでに書いたように、吉本の隠喩理解は鮎川信夫的な代行＝代置理論という古典的技法としての解釈を超えるものではなかったから、この時点での〈修辞〉概念にたいする理解も否定的なものでしかなかった。『戦後詩史論』のなかのとりわけ「修辞的な現在」という論考が発表された当時、〈修辞〉ということばがいくらか新鮮に思われたのも、このことばが詩の世界ではまだそれほど馴染みがなかったことによるだろう。わたしは早くから修辞（隠喩）の問題に関心をもっていたから、吉本の問題提起にはどこか不明ながらも異和感をもたざるをえなかったことをよく覚えている。つまり詩の言語の隠喩的創造性という現在のわたしの言語隠喩論が把握しようとする詩の本質的問題にたいして吉本は言語の修辞性へのこだわりにすぎないと切り捨ててしまってその先へ目を向けようとしなかったからである。いかなる困難や課題があろうとも詩が修辞を否定してしまったら、みずからの存立基盤たる言語の隠喩的創造性を否定することになる。わたしには『言語隠喩論』を書くことをつうじてそのことがはっきりしたのであるが、現代詩の世界に遅ればせながら参入しようとしていたわたしにはその当時、残念ながら問題がどこにあるか、まだ十分に把握できていなかったのである。その後の吉本は若い現代詩の動きにたいして《いってみれば、「過去」もない、「未来」もない。では「現在」があるかというと、その現在も何といっていいか見当もつかない「無」なのです[15]》と全面的に否定するにいたってしまう。ここには吉本の老いの問題よりも、若いときから強固に根づいているヘーゲル的な意識言語論のもつ詩的言語にたいする根本的な無理解のゆえだったのではないかといまのわたしなら確信できる。

★14　吉本隆明『戦後詩史論』大和書房、一九七八年、一七二頁。
★15　吉本隆明『日本語のゆくえ』光文社知恵の森文庫、二〇一二年、二三九頁。

それにしても〈表現的時間〉とは何か。

たしかに表出の意識の〈時間〉性は、表出の意識の〈空間〉性とおなじように、それ自体が矛盾だといっていい。その〈時間〉は、生理的〈時間〉や自然的〈時間〉をまったくふりきったとき、ほんとの〈時間〉を手にいれる。(『言語美Ⅰ』三三二頁)

言語の表現の〈時間〉をかんがえることができるのは、言語の自己表出の連続性と、等質な抽象力が想定できるからにちがいない。それは言語の表現の〈時間〉の単位をつくっている。(同前三三三頁)

ここで吉本は言語の自己表出にこだわって無理な問題設定をしているために意味不明な回答をしている。だからみずから立てた〈表現的時間〉にたいして曖昧な答えしか用意できず、さっさとこの問題から退却してしまうのだ。

「2　断絶の表現」では野間宏、椎名麟三、武田泰淳、さらには埴谷雄高といった第一次戦後派作家たちの、意識の〈無〉を代償にして《想像的な時空をアモルフにどこまでも拡大する方法》(同前三四三頁)を論じ、さらには梅崎春生、坂口安吾、原民喜らは戦乱の経験をもとに《現実の実在をかつてないほど鮮やかな距離でたしかめる機会にであった》(同前三五五頁)と指摘する。《戦後の文学のはじまりの表出的な意味は、総体的に言語がそれじたいで虚像をうみだし、言語の外に氾濫させた、というような言葉でいうことができる》（同前三六四頁）と総括している。その最終的な例が太宰治だということか。

「3　断続的表現の変化」では、どういうわけか昭和二十六年、二十七年以後に戦後の文学体（野間宏、武田泰淳、椎名麟三）が《現実の意識としての〈死〉をあがなってえた特徴をなくしてしまった》（同前三七四頁）ために文学体と区別できないほど接近した話体の作家（太宰治、田中英光、高見順）の仕事が《言語の指示意識からいえば現実の意味をうしなったことを意味している》（同前）などと説明しているが、ほとんど意味をなさない。さらに吉行淳之介、小島信夫、安岡章太郎といった第三の新人たちの話体もふくめてすべて文学体―話体という上昇と下降の力線で解釈をおしつけてくる。

戦後の表出史はこの時期に文学体と話体とのふたつの面から山稜の頂点ちかくに追いあげられた、ということができる。現実の社会に、作家たちが根源の意識をかかわらせるものをみつけだすことが難しくなったとき、話体作家たちは、倫理的には無意味とおもわれる小さな空孔を現実にみつけて、からくり絵のようにその内がわの壁をえがきだしてみせた。そして、文学体の作家たちは、〈現実〉に漂流している無関心な〈対象〉の山をかきわけて、いわば濁酒に酔えなくなったものが、清酒をみつけだして酔うように、〈対象〉の山をえらび、かろうじて関心にひっかかってくる〈対象〉面を構成していった。そのためたとえば景物の描写でさえ倫理性をもつことになったのだ。（同前三八一頁）

と結論的に述べている。しかし、論理的な説明が苦しくなってくると、濁酒—清酒の喩えのように、それこそ下手くそなレトリックでその場を乗り切ろうとするところが吉本にはよくある。もうここまでくると、この唯我独尊の解釈術には敬遠するしか道はない。そうも言えようが、べつにこれでは文学体—話体という二項の対立ないし並列が分析装置として十全な威力をもっているとはとうてい思えないために、こんな結論ではだれも満足できないからにすぎない。

最後に「4　断続的表現の頂点」では三島由紀夫の『金閣寺』を評価し、ほかに伊藤整や大江健三郎などをもちあげている。そしてここまでの近代文学史における表現転移論の総括としていくつかの法則を取り出してみせる。これも話体から文学体として上昇する結果として《ある時代の表現を、はじめにつぎの時代へうつさせるものは、かならず**文学体**の表現だ》（同前三八八頁）と断定している。ここでも〈文学体〉という概念（〈話体〉も同じ）に明確な定義づけがないためにたんなる独断に終わっている。これを吉本的な独創とみてしまえば、その文脈のなかで批判するのはなかなか困難だが、わたしにはそこまでつきあうことはできない。そこには詩と言語の本質的隠喩性にかかわるような考察もゼロだからだ。

6　〈構成〉という設定の破綻

　さて、ここでようやく『言語にとって美とはなにかⅠ』の検討を終え、『言語にとって美とはなにかⅡ』の検討に入る。これまで逐条的に吉本の論脈に沿って論点を整理しながら進めてきたが、どうしても冗長になってしまい、書き手としてもあまり生産的な議論になりにくい。せっかく読んでくれるひとにもおそらくそう見えるだろう。したがって、ここからはもうすこし論点をしぼっていくほうが好ましい。とくにこの『言語美Ⅱ』のほうは吉本自身が《『言語にとって美とはなにか』の後半のいわば各論に当たっている。たぶん日本語で日本文学の表現としてははじめての、通史になっているとおもう》（『言語美Ⅱ』三三三頁）と「文庫版あとがき」で述べているぐらいだから、そういう通史ならわたしの詩論的観点からはあまり追究してもしかたないだろうからだ。

　そこで「第Ⅴ章　構成論」の「第Ⅰ部　詩」を見てみよう。ところで、すでに「第Ⅲ章　韻律・撰択・転換・喩」のところで触れたように、吉本は、文学の表現論が文学理論とちがう道に踏み込んだとき、〈構成〉の問題を取り扱わないかぎり問題は半歩しか進められない、というようなことを言っている。ここでもういちどその部分を確認しておこう。

げんみつにいえば芸術としての言語表現の半歩ぐらい手前のところで、表現としてもんだいになることをとりあつかおうとしているわけだ。この半歩くらい手前というのは言語を文学の表現とみなしながら、芸術としてではなく言語表出としてあつかうということだ。なぜこんな態度がいるのかといえば、言語表現を文学芸術とみなすにはまだ**構成**ということを、取扱っていないからだ。**構成**を扱わなければ反復、高揚、低下、表現のはじめとおわりが意味するものをしることができない。(『言語美Ⅰ』一二九頁)

たしかに吉本が言うとおり、個々の文学表現(言語表現)が文学的な意味をもちうるかどうかは、その部分がいったいどういう構成(全体的枠組み)のなかに組みこまれているかをみなければならない。文学表現とはコンテクストのうえでほんとうの意味をもつのであって、たとえば宮澤賢治の「永訣の朝」における〈(あめゆじゆとてちてけんじや)〉(雨をとってきてください)というトシの死に際のことばが文学表現としていったいどれほどの意味と価値をもつのかは作品全体、さらにはこの作品が書かれたときの状況(表現されたかぎりでの)のなかで探究されなければならない。[★16] 言うまでもなく、文学とは部分と全体が緊密に構成されてこそ有意なものとなるのであって、とりわけ詩こそがもっとも緊密な構成のなかで表出されるものであるから一字一句ゆるがせにできないところに詩の真骨頂があり、そこに緊張と弛緩、上昇と下降というリズムやアクセントをほどこしながら究極の意味と価値をめざしていくのが詩の本質であり、あらかじめ設定された意味や価値をなぞっていくものではない。しかも詩は書きすすめられながらその究極の意味と価値をたえず言語自体の創造的隠喩性の可能性のみをたよりに探究するものであって、小説や批評のように言語の二次的散文性に依拠しながらある程度のあたりをつけて構成されるものとは本質的に位相の異なるものである。吉本の言語理解が詩の言語よりも散文的言語のほうに向かっていく傾向が強いのは、詩の言語がこうしたなかば無意識的な、手探り的な言語構成をもつことを本質としている探究であることをそもそも吉本があまり理解できていないからではなかろうか。こういうことを言うと、すぐ詩的言語の絶対性とか優越性の主張ではないか、と疑問や反問をもつひとがでてくるのだが、これは言語の本質上そうなるのだからしかたがないのである。

それはさておき「第I部　詩」の「1　前提」では吉本はここまで書いてきた問題を整理してこう書いている。

> げんみつにいえば、わたしは、いままで文学作品をせいぜい表出の価値としてあつかうところまでしか論及していないというべきだ。言語表出の価値のおおきさは、もちろんそのまま言語芸術としての文学作品の価値のおおきさではありえない。文学作品を言語芸術としての価値としてあつかうために、わたしたちはなおいくつかの寄り道がひつようだ。そのひとつ

★16　野沢啓『ことばという戦慄——言語隠喩論の詩的フィールドワーク』未來社、二〇二三年、に収録の「宮澤賢治、慟哭のレトリック」を参照。

は**構成**とはなにを意味するかをたずねることだ。(『言語美II』一一頁)

吉本はこうして構成の問題を設定する。ここまではよい。問題はその次だ。

わたしのかんがえでは、表出の価値をそのまま、作品の価値とすることは、発生史的には、いいかえれば、**自己表出としての言語の連続性の内部**では、ある正当さをもっている。だが、文学作品の価値は、まず前提として指示表出の展開、いいかえれば時代的空間の拡がりとしての**構成**にふれなければ、かんがえることができない。(同前一二頁)

ここでまた〈自己表出〉――〈指示表出〉のからみで構成の問題が提出されているが、文学作品の価値の前提として《指示表出の展開、いいかえれば時代的空間の拡がり》を考えるべきなのはある意味で当然だが、すくなくとも詩的言語においては同程度かそれ以上に言語テクストの自立性とでも呼ぶべき、言語構成内部の緊密な関係性、ことばそれ自体のリズムやテンポ、暗示的な構造的複合性なども考慮に入れなければならない。吉本の構成の問題はそのことをほとんど考えず、物語(と劇)のほうに力点がおかれている。それがこの章の第II部と第III部の問題として設定されていることからもわかるだろう。詩のことばが書かれるのは、時代的な〈指示表出〉の水準などではなく、もっと個人的な、言語的な要請という必然に呼びつけられているのであって、結果としてその作品が時代的な刻印を帯びるだけなのである。『言語にとって美とはなにか』が言語表出史のなかにその美の問題を探ろうとしても、言語内部からのより本質的な言語的衝迫の問題に踏み込まないかぎり、言語の美も価値も外在的なものとしてしか解明できないのではあるまいか。

「2　発生論の前提」は「第I章　言語の本質」の「1　発生の機構」を踏まえつつも、詩的言語の発生の問題をとらえようとしている。しかし詩の発生の問題は、論証しうる証拠がないために結局はさまざまな推測がなされるだけであることを吉本も指摘している。

いうべきことのひとつは、記紀歌謡をそれ自体として、文字でかかれた詩的言語の世界としてかんがえること、もうひとつは、記紀歌謡以前の想定されるだけの口伝や口誦の時代を、直接資料がない、したがってまったく理論として想像すべき詩の時代としてあつかうこと、などだといってよい。（同前二三頁）

吉本の言語の〈自己表出〉概念が文字化（テキスト化）によって齟齬と混乱を示したことはこれまでも指摘してきたことが、文字の出現という問題はそれ以前の時代との画期をなすもので、そこには当然のことながら表現（言語表出）の飛躍と断絶がともなうのであり、それは個々の表現（言語表出）においても意識を超えた突出（そこから意識への帰還も）が起こるのである。もちろんこれは近代以降の解釈ともなろうが、古代のいずれかの時点でそういう飛躍と断絶がありえたことは十分に根拠づけられることなのである。
「3　発生の機構」ではジェーン・E・ハリソンやジョージ・トムソンの古典的古代論に言及しながら、人間と自然の現実が芸術行為の構成として残されていった過程について検討しているが、特段の発見はない。わずかに言えるのは、構成と関係づけた以下の部分ぐらいであろう。

芸術行為のなかにのこされた、現実行為のなかでの人間と自然、また人間のじぶんじしんとの（したがってじぶんとほかの原始人たちとの）関係の痕跡は、再現行為のワクとしてのこされているのではなくて、すでに芸術行為の**構成**（Komposition）として表出のなかにのこされたといっていい。（同前三六―三七頁）

「4　詩の発生」では折口信夫（と柳田國男）の所説のみがこの発生論について見るべき唯一のものであり、ほかは《芸術の起源についての国際的な諸説を、日本の詩の発生にあてはめたといった程度のもの》（同前三七頁）として排除する。しかしその柳田・折口系統の説も素朴なままで《普遍的な根拠にまで深化することがなかった。そのためにこの**構成**のもんだいを逸した》（同前四一頁）としてこの祭式の言語が詩（芸術）の水準にいたる可能性を見ることができなかったと批判する。《記紀歌謡という文字でかかれた、最古の詩は、詩の発生の起源を、ほとんどなにほども保存しているはずがない》（同前四九頁）とする吉本の理解にとくに異論はない。

「5　古代歌謡の原型」では前節をひきついで古代における詩の原型を考えている。《記紀歌謡についてわたしたちがやってみたいのは、詩としての**構成**の原型をみつけ、その変化の仕方をたどるということだ》（同前）として国文学者とは異なる〈構成〉という視点から古代の詩を五つのカテゴリーに分けてみせる。〈土謡詩〉（吉本によれば《様式的に詩としての土台になる表出体》（同前五〇頁））→〈叙景詩／叙事詩〉（《土謡から表出として**上昇**した詩体》（同前））→〈抒情詩／儀式詩〉（《表出としていちばん高度な上昇をとげたもの》（同前五一頁））といった具合だ。ここからこれらのカテゴリーのさまざまな実例を長々と列挙して説明するのだが、納得できることはすくない。抒情詩とは本質的に何かと問い、《それは**構成**としてみれば詩のモチーフが凝縮し集中されることだ》（同前七二頁）《抒情詩が**構成**としてもっている意味は、うたうべきモチーフをとらえるのに、叙景とか叙事の展開をひつようとしないほど、高度に抽象された情緒の表出だといえる。**構成**としてみられた抒情詩は、指示の展開ではなく、自己表出が凝集されたということにつきる》（同前七三頁）となっているので、吉本流の観点にしたがえば理解可能だ。しかし、ここらあたりは〈自己表出〉に〈構成〉という論点をくわえることによって、なんとか古代における詩の原型を吉本的に理解しようとして辻褄をあわせているにすぎない。

＊

つぎに「第Ⅴ章　構成論」の「第Ⅱ部　物語」を見てみよう。しかし、先にも指摘したとおり、吉本の〈構成〉にたいする視点は近代詩以降の問題に触れようとしているわけでなく、この物語についての論説も物語の成立がいかにしてなったかの通史的なものであるから、それぞれの節を簡単にあたってみるだけにしたい。

「1　問題の所在」では第Ⅱ部の論点を述べているところがある。《詩と散文の原型はどこでちがっており、どのようにかかわりがあるかだけ》(同前八二頁)であり、物語が詩から生まれてきたことをなぜそんな生まれかたをしたかを解かなければならないとする。

資質が拒否するとか反撥するとかいうまえに、詩は共通感をもとにして、わたしたちにちかづく。だが物語は同伴感をもってわたしたちをつれてゆく。物語としての言語はまずひとをひきつれてゆくための〈仮構〉線をつくり、それをとおって本質へゆこうとするのだ。(同前)

〈共通感〉とか〈同伴感〉といった見慣れない吉本用語を並べたあげく〈仮構〉線という怪しげな概念を立てているのはいつもの吉本的手管である。

そこから「2　物語の位相」では《物語としての言語は、抒情詩と儀式詩の自己表出の頂きを、ひとつの〈仮構〉の底辺とする言語表現の〈飛躍〉として成り立った》(同前八八頁)とする。簡単に言えば、詩的言語の表現（言語表出）の水準が上がったときに物語的言語表出が可能になったということだろう。しかし、わたしに言わせれば、もともと言語の一次的次元にある詩の本質としての創造的隠喩性にたいして、物語の言語は言語の二次的性質たる散文性を根底とするかぎり、言語としての位相がちがうのであるが、ここでは物語言語の成立は、詩的言語からの連続／不連続の擬似的な関係として、詩的言語から物語言語が分節されていくプロセスのなかに認められるということである。

「3　成立の外因」では仮名文字の成立が物語言語帯の成立を促したことを指摘し、「4　折口説」では折口信夫が信仰起源説をもとに物語文学の成立をつきとめながら、吉本の設定した言語水準の〈飛躍〉という契機を見逃したことを批判する。「5　物語のなかの歌」では物語のなかに歌が出てくる場合は抒情歌か儀礼歌でしかありえないことを断言し、「6　説話系」では『竹取物語』が《説話物語から儀式（典型）物語へ上昇してゆく過程に位置づけられるものだ》（同前一〇九頁）とする。「7　歌物語系」では《歌詞を説明する前詞としての意味をもった地の散文が、物語になって集中することになった》（同前一一一頁）『伊勢物語』から『大和物語』を経て『宇津保物語』で主題と構成をそなえて現われるにいたった過程が論じられ、「8　日記文学の性格」では《短歌が**構成**の展開のなかで、地の文とおなじ位相にはめこまれている日記文学は、歌物語から**上昇**した表出だ》（同前一一六頁）として『土佐物語』ほかが論じられ、「9　『源氏物語』の意味」では《説話系の物語と、歌物語系と日記文学系とを混合し、それらを統一した最初の最大の作品》（同前一二二頁）と『源氏物語』を評価する。最後に「10　構成」では、例の〈仮構〉と〈飛躍〉の図式を《いちばん大事なシェーマ》（同前一二六頁）と言ったあとで、吉本は言う。

詩と物語のばあいの構成の共通性をぬきだすと、（中略）**文学作品の構成とは、指示表出からみられた言語がひろがってゆく力点が転換されたものをさす。**（同前）

なんのことはない、この定義は言語の一次的本質性である創造的隠喩性とも言えなくはない言語の〈自己表出〉は取り下げて、言語の二次的使用たる流布された意味である〈指示表出〉が或る一定の言語的な表現（言語表出）の可動域に達したときひとつの新しい可能性が開けるということを言いたいのであろう。言いうるのは、そこに詩的言語とは別個の表現領域が言語の散文性を盾に発生し発達していったということである。物語においては言語の〈自己表出〉は〈指示表出〉という概念の手を借りなければなにも構成できないことを確認したことになる。言語隠喩論的に言えば、詩は言語の創造的隠喩性を表出するなかで一篇の詩の構成を同時的に実現するのであり、物語は言語の二次性たる意味（指示表出）をさまざまに組み合わせ、組み立てていくという行為であって、それ以上のなにものでもない、と言えば足りるのだ。

＊

さて、最後に「第Ⅴ章　構成論」の「第Ⅲ部　劇」についても簡単に見ていくことにするが、文庫本で優に二〇〇頁を超える長大なこの章のなかでも一〇〇頁を要するこの第Ⅲ部は第Ⅰ部、第Ⅱ部とともに、はたして何を言いたいのだろうか。この部は「第Ⅰ篇　成立論」と「第Ⅱ篇　展開論」に分かれている。

「第Ⅰ篇　成立論」の「1　劇的言語帯」で吉本は《劇を、言語としての劇のうえにたって演じられる劇にいたる総体性とかんがえる》（同前一二九頁）とし、《あらゆる劇的なものの根柢に、言語としての劇があり、それはたんに、戯曲とか脚本とかいう以上の内向する意味をこめて、劇の総体を支配しているという見地にたつ》（同前）と、まず自分の立ち位置を明らかにする。これは言語の美の問題を問う本書のような場合には当然の立脚点だろう。舞台の上での所作や空間的配置などではなく、言語芸術のひとつの問題として劇の本質を問おうとするのである。そのうえで「2　舞台・俳優・道具・観客」では、ここでも《劇という概念そのものが、詩と物語をへて、はじめて成立した言語の劇として、それじたいが高度なものだということを、まず創る方がしるのが大切なのだ》（同前一四一頁）としてその構成要素の確認をしている。

「3　劇的言語の成立」で吉本は世阿弥の演劇論を参照しながら能・狂言を例に挙げ《言語としての劇は、言語としての物語をへたのち、ながい期間をへてすこしずつ確実にうつっていったとかんがえることができよう。これは言語としての劇が、言語としての物語から〈飛躍〉したしるしだし、またおなじく〈連続〉しているという意味ももつ》（同前一五一頁）と確認する。「4　劇的本質」では折口信夫の説にもとづいてその定義を再確認している。「5　劇の原型」でも折口に依拠しながら能・狂言について論及する。《狂言は土俗の宿命をかたるが、能は知的大衆の宿命をよくかたっている。能が知識層的で、狂言は土俗的であるといえば、わたしたちはある理解の端緒にたっしているのだ。》（同前一六〇頁）と。ほんとうかね。「6　劇の構成」では能・狂言のいくつかの作品を分析しながら、結論的には《**土俗的な、いわばあるがままの大衆から、知的大衆（知識層）へのうつりゆきがひとつの芸術的な必然であり、この経路をへずしては、劇的言語帯への飛躍はおこなわれえないものだ**というかんがえにみちびかれる》（同前一七三頁）として物語言語帯からの飛躍・上昇として第二の空間たる舞台という観念の世界が生まれてくる、としている。劇の世界が物語的言語を上昇させた表象の世界となるということだろうが、劇的言語と詩的言語との関係はどうなるのか、これを書いていたころの吉本の時代には〈詩劇〉というジャンルもあったはずだが、吉本には関心がなかったからか、そのあたりの言及も分析もまったくない。物語言語にくらべれば、劇的言語は言語そのものが（舞台上に）現前するというかぎりで言語の自立性（吉本的に言うなら〈自己表出〉性）と考えることは可能だったはずだが、どうもそういう方向への思考は働かなかったらしい。

つづけて「第Ⅴ章　構成論」「第Ⅲ部　劇」の「第Ⅱ篇　展開論」を見てみよう。「1　『粋』と『俠』の位相」では、北村透谷が町人社会の生活思想を論じた「粋」と「俠」の洞察を出発点として「吉原はやり小歌そうまくり」と「山家鳥虫歌」からの俗謡をさんざん引いたうえで、吉本は俗謡からの上昇としての浄瑠璃と下降としての歌舞伎について考えようとしているが、この問題は「2　劇の思想」以下で展開される。2節ではこのための前提として徳川時代の「不義」「密通」の問題がどのようなものであったかがくわしく述べられている。「3　構成の思想（I）」では《日本の劇文学の完結をつげる浄瑠璃や歌舞伎》（同前一九七頁）というにわかには承服できない一面的な断定がいきなり提示されるのがまず問題だが、《劇文学は、男女の関係のいちばんの社会的な矛盾である情死や密通のような悲劇的な逆説を人間関係の普遍性とみなすことで、はじめてととのったすがたになったことをうたがうことはできない》（同前一九八頁）と理解される。そして《散文芸術や詩文学は、ほかのどの部分社会ともむすびつき、うまれる可能性をもっていたが、近世劇の構成が成り立ち完成されたすがたをみせるには、遊郭、私娼窟の財のみじめさと昇華された倫理との矛盾を、どこか中心の部分にみちびきいれ、またそれと干渉させることであった》（同前二〇三頁）と結論づけているが、どうにも説得されない。《劇を言語としての劇から演ぜられる劇への総過程の成立》（同前一九九頁）と定義づけるなら、もっと広い範囲で劇を論ずるべきではないかと思わざるをえないからだ。

「4　構成の思想（II）」では近松門左衛門の浄瑠璃劇が武家的な儒教倫理のやるせなさが町家の倫理に逆説的に敗れていくプロセスを表現していることをくわしく論じていく。「5　展開の特質」では近松の「碁盤太平記」と竹田出雲らの「仮名手本忠臣蔵」を比較して、浄瑠璃劇から歌舞伎劇への移行が完結したと結論づけている。こうして「第III部　劇」を論じ終わるのだが、

「第Ⅴ章　構成論」では通史的に近世までの詩と物語と劇の原理的な構成を取り出そうとすることに終始しただけで、やたらと長いわりには収穫は乏しいものだと言わざるをえない。〈構成〉の問題を問わなければ表出の解明だけでは文学的価値の問題を問うことはできない、とした吉本の最初の設定がこれで解答を得られたかというと、そんなことはまったくない。むしろ〈指示表出〉という概念に引きづられて時代的拡がりと連続のなかで文学言語の価値を通史的に問おうとするから、無理なこじつけと概念の綱渡りを強いられて壮大なポンチ絵が生まれてしまったというふうに印象づけられるのである。

7　〈架橋〉という無意味な概念

さて、『言語にとって美とはなにか』をめぐってその内容をつぶさに検討してきたわけであるが、残る二章のうちの「第Ⅵ章　内容と形式」について見ていこう。その「1　芸術の内容と形式」のはじめのほうで吉本はこの問いがいかに不本意なものであるかを告げている。《いま、ここでとりあげたい芸術の**内容**と**形式**という主題も、スコラ的なものの象徴で、創造するものに役だたないだけでなく、研究者以外の理論にとってもなにものもあたえない。わたしが、ちかづくのは、その主題がひとつの過去の因襲としてそこに*ある*ため、その過去がなにか意味ありげに問いかけてくるからだ。》（同前二三〇―二三一頁）――ここで吉本は『言語美』が美をめぐる理論構築をめざすうえでは不可避の問いであるはずのものを、それがまるでつまらないスコラ形式の問答でしかないように見せかけている。《すでにできあがった芸術の作品については、**内容**と**形式**という区別はなんの意味もない結果だし、これから創られようとする作品にとっては、それは創作するとちゅうの作者と作品のあいだに橋をかける過程に、眼にみえない根拠をおいている。これをとりあげても誰もよろこばないのだ》（同前二三一頁）と吉本はつづけるのだが、一見してだれも否定することのないあたりまえな事実関係を述べているようにみえて、さりげなく《創作するとちゅうの作者と作品のあいだに橋をかける過程》といったことばを忍び込ませている。これはすぐつづくつぎの部分に反映させるためだ。

ここで芸術の**内容**と**形式**にふれるのは、これからつくられようとする作品の過程を、ひとつの〈架橋〉作業とかんがえ、幻想の表出としての作品と、原因としての作者と、根源としての現実とが、ある角度からはまったく無関係のようにみえ、ある角度からは関係があるかのようにみえるという構造にすこしでもちかづきたいためだ。（同前）

〈架橋〉という概念が怪しいのはあとで出てくるように、言語の〈自己表出〉と同値させられるほど深く関係するからだ。〈架橋〉とは《自動的ではなく表現する者の社会性、土台とのかかわりによって、時代的な、個性的な刻印をうける》（同前二四五―二四六頁）ものと想定されている。つまりそれは言語の本質に帰されるような種類のものではなく、書く主体（意識）が書くことにおいてその素材（現実）に意識的に働きかけるときに浮上してくる概念であって、そもそも言語の〈自己表出〉とはすでにそうした他律性とも密通する中間的なものにすぎないのではないか。それとも吉本の言語の〈自己表出〉にとっては他律的な媒介項にすぎないのではないのか。わたしの主張する言語隠喩論的な言語の創造的隠喩性、世界開示性とはそうした他律的な外在性に依拠しないところからその本質を獲得するものである。言語の〈自己表出〉性とはその程度にしか自立性をもたないのではないか。〈架橋〉という概念は『言語にとって美とはなにか』のなかではこのあたりで突然でてきた一時的な概念であって、吉本はことさらに〈自己表出〉と同格のものとして扱っているが、そこに認められる理論的疎隔はとうてい説得力をもたない。すこしあとで、《自己表出性といえば、ひとつの架橋（Brücke）だから……》（同前二七七頁）ともあって、〈架橋〉が〈自己表出〉にたいする上位概念のようになっていて、同格でさえもないことがわかるのだが、いずれにせよ思いつきの域を出ない。

ところで、ここからはヘーゲルの『美学』が導入され、吉本によれば、ヘーゲルにおいて〈内容〉の本性とは《二、三の言葉または命題にまとめて提示できるもの》であり、《細部の仕上げ、具体的な形成としているもの》（同前二三三頁）が〈形式〉の本性である、と要約され、《**内容**にすみずみまで浸透せられ、それ以外には動かしようもないものとしてしか芸術の**形式**は存在しない》（同前二三四頁）と整理される。

こうしたヘーゲル解釈に依拠して、吉本は例によってマルクス主義美学のアンリ・ルフェーヴルとジェルジ・ルカーチの理論を槍玉にあげる。《もろもろの〈マルクス主義〉美学と称する俗化したヘーゲル主義》（同前二三四頁）《マルクスの見解を仮装したいちばん悪しき小ヘーゲル》（同前二三八頁）と吉本が罵倒するかれらの〈土台〉や〈上部構造〉という周辺概念をはずしてみずからの〈架橋〉概念なしでは芸術の本質が語りえない、と展開していくのであるが、ここには大きな飛躍がある。なぜならルフェーヴルやルカーチがいかにマルクスならぬマルクス主義的偏向を芸術理解にもたらしたとしても、それを叩くだけでみずからの〈架橋〉理念の優位を証明することはできないからである。

わたしのいわゆる〈架橋〉（自己表出）をはずしては、芸術の本質が語りえないこと、この〈架橋〉の連続性は、いやおうなしに時代的と個性的との刻印をうける**現存性**の構造をもっていること、などは、芸術の表現と表現者と現実とのあいだの、さまざまな属性を削りとったあとに、わたしたちの方法がのこす最終の項だ。（同前二四三頁）

この問答無用の〈架橋〉＝自己表出という断言は『言語にとって美とはなにか』のなかでここが最初の出番になっているわけだが、どこからどうみても唐突かつ没論理的である。それでも吉本はこれを《ひとつの定義にたどりつ》いたものとして、例によって自己満悦にひたるのである。
――《芸術の**形式**は、〈架橋〉（自己表出）の連続性からみられた表現それじたいの拡がりであり、芸術の**内容**は〈架橋〉（自己表出）の時代的、個性的な刻印からみられた表現それじたいの拡がりである》（同前二四四頁）というように、中身を欠いた呪文が繰り返されるだけで、それは結局、芸術の実現とは表現者の意識（意欲）の実現であり、それが《時代的、個性的な刻印》を受けていればいるほど、芸術的表現としての高い達成が得られるのだという、じつに平凡な事実の指摘にすぎない。すくなくともここに詩的表現の芸術的達成の問題はなにひとつ問われていない。詩人がことばにむかうときなにやら漠然とした対象へむけての〈架橋〉などというものは問題とされることはないからであって、あるべき言語そのものとそのイメージが問われるだけだからである。

*

つぎに見るのは「第VI章　内容と形式」の「2　文学の内容と形式」となるが、吉本は前節の〈芸術の内容と形式〉を反復し、こんなことを書いている。

> 文学の**内容**と**形式**を、まさにそこにかかれた作品の**内容**と**形式**以外のところにもとめることはできないことは、文学もまた芸術であるという意味でさけられないことだ。しかも、作品

を文字による意味の流れの展開以上のものとして、内容と形式概念をかんがえなければならない。芸術としての文学作品が、辞書にある語義とちがって、作者のある意識状態から表出されたものとして、〈架橋〉せられていることが、この原因のひとつだ。（同前二四四―二四五頁）

最初のところは当然として、問題は文学作品が《辞書にある語義とちがって、作者のある意識状態から表出されたもの》として〈架橋〉されているというのだが、いったい何から何への〈架橋〉なのか。《作者のある意識状態》から表出されたものからなにか特権的な位相への飛躍だと言いたいのかもしれない。しかし詩の言語が《辞書にある語義》（ポール・リクールのいう〈死んだ隠喩〉）などとは無縁であることはあらためて言うまでもないことで、文学作品だってそんな辞書的意味ばかりの羅列だったら《文字による意味の流れの展開以上のもの》になりえないことは明らかであって、一連の文字の集積が文学作品としての内容と形式をもつためにはわけのわからない〈架橋〉などという概念を濫用しても理論の体をなさない。文学作品が文学としての離陸をなしとげるのは《作者のある意識状態》を超えた言語のもつ本質的な創造性（隠喩性）の、書き手にとって思いがけない〈ことばの力〉が必要になるはずだ。小説のようなことばの二次性たる散文性に主として依拠するジャンルでは見えにくいことだが、小説のなかにも部分的に散見する、場面を一挙に転換させるようなことばの自立性たる隠喩的想像力がもたらす世界開示性こそがじつは小説的物語を発展的に駆動していく真の原動力となっているのである。吉本は〈架橋〉などというごまかしの概念でこの問題をやりすごそうとしただけだ。吉本が詩の本質的な問題になにも対応できていないことは、書き手の意識を絶対化するあまり、ことばのもつ本質的な創造的隠喩性に理解が及ばないからである。

さて、この節ではヘーゲルのほかに芥川龍之介、ポール・ヴァレリーの論を引きながら、吉本は最終的に意識言語論者としての限界をさらしている。

> 文学の**内容**と**形式**は、それ自体としてきわめて単純に規定される。**文学（作品）を言語の自己表出の展開（ひろがり）としてみたときそれを形式といい、言語の自己表出の指示的展開としてみるときそれを内容という。**（同前二五〇頁）

わざわざこんな程度のことを言うのにゴチックなどで強調するから、その無内容さがよけいにきわだってしまうという典型的な部分で、ここで言われている定義などまったく空疎なものでしかない。これが意味あるものとして「わかる」ひとがいるとすれば、よっぽどおめでたいひとだろう。もしそうでないなら、ちゃんとした日本語に翻訳しあるいは敷衍してみせてもらいたいものだ。吉本は理論的に行き詰まったときにはこの手の念仏で読者をケムに巻こうとするのだが、王様が裸であったことがわかってしまったからには、もはや誰も騙されないだろう。だからもうひとつだけ引用するとすれば、ここまでわたしが吉本の意識言語論と呼んできたもののなれの果てがどこに根本的な欠陥があったかが明瞭になるだろう。

形式は人間の意識体験が自己表出として拡がり持続されてゆく、その仕方に、ある間接的な基盤をもっており、**内容**は人間の意識体験が社会にたいしてもつ対他的な関係に根拠をもつとおもう。(同前二五四頁)

吉本はどこまでいっても《人間の意識体験》のことにしか言及しない(できない)。すべて意識の力が体験もことばもコントロールできると思っているから文学者、とりわけ詩人がみずからの意識を超えたことばからの呼びかけに身をまかせるという境地を理解することができない。だから最後の問いと答えはつぎのようにしかなりえないことになる。

なぜ、文学作品が書かれるか、という問いにたいして唯一のほんとうの答えは、気がついたときすでに言語の表現が、眼のまえに歴史的につみかさねられて存在していたから、ということだ。なぜ、あるものは文学作品を書き、あるものはそれを生涯書かないのか、という問いにたいする唯一のほんとうの答えは、言語の自己表出への欲求が、指示表出への欲求とまじわる**契機**を創出(produzieren)として展開する理由を、たまたまあるものはもつことになり、あるものはもたなかった、ということだ。この**契機**はたくさんのじっさいの偶然と必然にあざなわれてたしかに存在している。そこであるものが文学の表現者で、あるものが文学の非表現者だという区別がうまれる。（同前二五五頁）

もうこれ以上、吉本のアラを探しているように見られるだろうことにうんざりしてきたから、ここでやめたいが、吉本の結論は、文学者になるかどうかはこうした《言語の自己表出への欲求が、指示表出への欲求とまじわる契機》をたまたまもつかもたないかという偶然性の問題として片づけている。これではみずからが提出した問いになんの答えにもなっていないのは誰にも明らかだろう。〈自己表出〉も〈指示表出〉もなく、書きたいものを見つけたひとは書くし、見つけられないひとは書かない、というただそれだけのことである。ここはいわば吉本の腹芸として読むしかないものだ。

さらに「3　註」ではハーバート・リード、ウィリアム・ヴォリンガーの、内容と形式にかんする詩論や表現論が参照されるが、あまり効果的ではない。「4　形式主義論争」では、昭和初年代での横光利一の時評をきっかけとした周知の形式主義論争が吟味される。しかしここでもマルクス主義陣営を代表する蔵原惟人をはじめとして論争にくわわった論者のレヴェルが低すぎるためにろくな成果は得られず、結局のところ、《芸術の**内容**と**形式**にたいして、じっさいの社会のさまざまな関係と、それが網状になった社会の経済的なさまざまな構成が、芸術に影響をあたえうるのは、……ただ表現するものと表現せられた芸術（作品）をむすぶ幻想の〈架橋〉（自己表出）を介してのみじっさいにあらわれる》（同前二六五頁）と、みずからの土俵に引きつけて解釈されて終わってしまう。ここでは蔵原あたりの程度の低い理論を叩くことで自分の意味不明の理屈を自賛するだけだ。吉本はいわば漁夫の利を得ただけである。

内容と**形式**とのあいだには、どちらが優先的で、決定権をもつか、という問いがはいってくる余地はもともとない。いいかえれば、芸術がいままで存在してきた根拠を、まったくよそにおいたところでしか、おこりようがない議論だといえる。（同前二六七頁）

吉本も最後でいうように、内容が先か形式が先かというような論争は最初から意味がないのである。しかし、そこに《言語の自己表出への欲求が、指示表出への欲求とまじわる契機》だとか〈架橋〉だとかいった混乱させるだけの理屈など持ち込まなければよかっただけなのである。

8　理論でも〈立場〉の選択でもなく言語それ自体へ

さて、ここでいよいよ本書の最後の章である「第VII章　立場」について確認するところまできた。ここまで延々と『言語にとって美とはなにか』についてその論点を微細なところまで確認し、問題点を剔出してきた（つもりだ）。ここまでくると、どこか名残りおしくさえあるこの長大な理論書がどこか空しく感じられてくるのも、この章に集約される吉本の結論がいよいよその空疎な密度を露わにしてくるからである。

ともかくこのさして長くない（文庫版で五〇頁ほどの）章は「第Ⅰ部　言語的展開（Ⅰ）」と「第Ⅱ部　言語的展開（Ⅱ）」に分かれ、それぞれ三節ずつの構成となっている。それらを順次みていこう。

「第Ⅰ部　言語的展開（Ⅰ）」の「1　言語の現代性」では、吉本は冒頭で《あるひとつの言語観は、そのうしろにひとつの思想を背おっている。（中略）言語はただ概念を対照的に指示し、感じたことを表出する完結性があればたりる》（同前二七四頁）と言っている。前半はともかくも、後半に吉本の基本的な言語観が表われている。それは最初から言語そのものの意味、その本質的隠喩性、想像的世界開示性については問わないという姿勢である。ここまででもさんざん確認してきたこうした吉本の言語観はひとことで言えば、言語は意識の表出でしかなく、意識にもとづいた伝達と思想のための言語でしかなく、創造的な言語ではない、ということである。わたしが言語隠喩論的な立場から言語の本質を問おうとするのとちがって、つねに意識を先在させ、そこを通じてしか言語の意味を考えることができないという意味で先見的に意識言語論でしかないのだ。はたしてそんな立場から言語における〈美〉の問題を問えるのか、というのが根本的な疑問である。たしかに《言語そのものを対象として言語について論ずることは、たとえ言語をつかってや

られても論者を言語のそとにおく》（同前）というのも紛れもない事実だとしても。だから吉本は、

言語を対象としてじぶんのそとにおき、じぶんを言語のそとにおくという表出にまつわる事情を立場として想定してみる。（同前）

とひとまずみずからの言語との関係を〈立場〉として設定している。これがこの章の問題意識なのだろう。しかし、こうして言語を客観的対象として設定してしまえば、みずからの内部から湧出する言語の一次性（創造的隠喩性）について考察するようなことはあらかじめ排除されてしまうし、そもそもその立場からではこの問題を問うことすらできないのである。

わたしがこの本でとってきた言語観に立場が象徴されているとすれば、そのいちばんおおきいのは、言語の内部に自己表出を想定することで、言語をひとつの内的な構造とみなしたという点に帰せられる。（同前二七六頁）

ここに隠れた構造主義者[17]たる吉本の指向性がちらつくのであるが、ここにも明らかなように、

★17　わたしは以前、吉本の講演「南島論」にかんしてそこに構造主義的観点があることを指摘したことがある。『詩の時間、詩という自由――「同時代通信」より』れんが書房新社、一九八五年、二二七頁。

吉本にあっては、〈自己表出〉とは言語そのものの自己表出なのではなく、《言語の内部に……想定する》ものでしかない。したがって言語の〈自己表出〉といっても、それは言語そのものが自立的自発的におのずから発現してくるものではなく、かならずや言語以外のなにものか、おそらくは意識によってがんじがらめに掣肘されたことばとして出現するしかない。そこにはもはや言語の思いがけない飛躍や展開など現われようがない。その意味で言語は意識によって構造化されているのである。だからというわけでもあるまいが、吉本はそこにシャルル・バイイなどの構造主義言語学を導入して、言語学者の文学表現への理解の浅さを述べたあと、言語が時代の進歩にともなって機能的になっていく事態を指摘するぐらいのことしかできない。あとはまたルナチャルスキイ、トロツキイ、ベリンスキイといったロシア・マルクス主義者たちの、時代と言語が相互反映するといった分析を批判して終わっている。時代のせいもあるだろうが、吉本がこういう手合いを批判するときには、意識の強度のうえでは最初から相手にならないのであって、『言語にとって美とはなにか』が書かれていた時代にはまだあったとしてもこうした議論の成果はあらかじめ空しいものでしかない。マルクス主義的言語観では意識は存在や時代や環境に規定された非自立的な相対物にすぎないからだ。だからといって、吉本の疑似構造主義的言語解釈もまた外在的なものにすぎないことを免れているわけではない。この節の最後で吉本は言う。

指示表出は、時代の高度な能率化や機能化の影響をうけとりながら、自己表出としては太古から連続している表現のつみかさなりを背おっているといったことが、おなじ言語のうちでおこりうるといってよい。（同前二八六頁）

とはなにも有意な意味をもたない。それは言語の発展の歴史を〈自己表出〉と〈指示表出〉をダシに語っているだけだからだ。

「2　自己表出の構造」では吉本は《言語に自己表出の機軸を導くことが、どれだけ作品の理解をふかめるか》として例をあげているが、適切な説明になっていない。むしろそんなことより重大な問題は吉本の喩にたいする理解のしかたである。

喩は、概念の意味としては余計なものか、または短絡か、どちらかだといえる。この余剰または短絡は、文学体のばあいに言語の自己表出がたどる決定因になっている。もし、表出のうしろに、じっさいの人間のじっさいの表出の条件をかんがえるだけなら、喩はまったく不可解なものだ。なぜかといえば喩は現実にむかう態度よりも、じぶんの幻想にたいするじぶんの態度によって、無数の喩がおなじ概念にたいして想定できるし、じっさいにみちびきだすことができるからだ。（同前二九〇頁、強調は野沢）

というきわめて意識主義（者）的な解釈をしてみせている。要するに吉本にとっては〈喩〉（隠喩）は概念の影なのであり、だからそれは無数にありうるが、いずれも《余計なものか、または短絡か》のいずれの価値しかないものになる。吉本にとって〈喩〉（隠喩）は概念と化した〈自己表出〉にとって《現実にむかう態度よりも、じぶんの幻想にたいするじぶんの態度》を示すだけのものとされる。これでは詩の言語は成り立ちようがない。吉本にとっては言語の隠喩性などというものはハナから存在せず、《まったく不可解なもの》であり、つねに意識および意識化された概念がなにか幻想として言い換えられるときに偶発的に生ずる喩（のようなもの）としての機能をもつしかない非本質的なものなのである。吉本はここでおもに小説的物語的な二次的言語のレヴェルで考えているだけだが、吉本にはこのレヴェルの思考しか発動しないのだということだけは言っておくべきだ。何度も言うが、そこに言語の〈価値〉の問題は問うことができても、〈美〉の問題は問うことはできない。吉本には喩の本質がまるで見えていないのである。

　だから吉本が詩の創造の場面を想定しようとすると、〈概念〉の代わりに〈像〉といった別の媒介を必要とせざるをえないことになる。あくまでも言語そのものの理解へむかおうとせずに、なにかを介在させないと言語が成り立たないかのようである。

> ある情景が像として鮮明にあり、その情景にまつわるじっさいの体験があって、これにもとづいて一篇の詩をかこうとする。このばあい、情景の像がこころの状態として鮮明であれば

あるほど、言語で表現されたものは像をよびおこす可能性がおおいという保証がないことに気づく。そしてこころにはっきりと像の状態があれば、表現のうえで像をよびおこせるものかどうかは、表現する過程で、言語に収斂されるこころの像が、とても持続して言語に定着される時間まで存在できたかどうかに、あるかかわりをもつようにかんがえられる。こころの像は、表現されるとすぐこころの状態に還元されて消失する。と同時に言語は像としての構造をもつようになる。(同前二九一頁)

このたどたどしい説明では、詩的表現における像の消失にいたるプロセスの説明はあるが、なんとも無内容であるうえにとんだ誤解に充ちている。たしかに詩を書くことにおいて、事前になにかイメージのようなものがあって、それを書こうとしても実際に書かれた言語表現がそれをうまく表出できたと思える場合は稀である。《言語で表現されたものは像をよびおこす可能性がおおいという保証がない》ことは、才能の問題を別としても、多くの詩人たちが日常的に経験することである。しかし、この〈像〉が言語にうまく表出しえなかったとしても、このイメージが詩の言語のかたちとして、つまり言語という喩として実現されたものはけっして消失するわけではない。その場合、言語は当初のイメージをうまく構造化できないままに失敗作として残されるだけである。そんなことはどんな詩人でも経験していることではないか。むしろ最初のイメージから出発したとしても言語の自在な創造的隠喩性によって書き手の知らない世界にまで導かれることがごく稀にだが起こりうるのであり、そのときこそが詩の作品として成功したものとなるのである。

つづいて「3　文学の価値（I）」ではI・A・リチャーズのあまりぱっとしない文学の価値論を批判したあとで、言語の価値は文学の価値に広げられるか、という問いを立て、それはできるはずだとする。

言語の価値という概念は、意識を意識の方へかえすことによってはじめて言語のうちがわで成り立つ概念で、その意味では言語は意識に還元される。しかし、言語の芸術的な表現である**文学の価値**は、意識に還元されない。意識のそとへ、そして表現の内部構造へとつきすすむ。（同前三〇三―三〇四頁）

と重要な指摘をしたうえで、言語の価値を還元から表出のほうへ再転倒させる。言語が表出されたことによって事後的に書き手によって意識化されるということは詩の言語においても同じであって、もともと二次的言語である散文においては言語は意識によってある程度は制御されているから、とりわけ書かれた言語は意識に還元されやすい。もちろんそこに意識にとっては思いがけない経験としての言語的発見があるとしても、散文の場合は相対的に小さな問題であって、表現の巧拙の問題にさえ縮減されうるが、詩においてはそうではない。書かれることによってみずからが知らなかったこと、意識していなかったこと、あるいはなにかの理由で抑圧されていたことがそこに現出すること、その驚きが詩のことばの力なのである。だから吉本がめずらしく正当に言っているように《文学の価値は、意識に還元されない。意識のそとへ、そして表現の内部構造へとつきすすむ》のである。しかし吉本はせっかく確認した地点からもういちど〈自己表出〉の問題へのこだわりから決定的に間違った方向に舵を切ってしまう。

自己表出からみられた言語表現の全体の構造の展開を文学の価値とよぶ。(同前三〇四頁)

と最終定義を導き出すのだが、ここに大きな転換ミスがある。問題は言語の〈自己表出〉のもっとも価値をもちうる可能性として言語の表出そのものがもつ本質的な創造的隠喩性がどのように実現したか、しかも書き手の意識を超えて実現した言語の世界こそが文学の価値と呼ばれるべきなのである。吉本は意識言語論者として文学の言語(とりわけ詩の言語)を意識の〈自己表出〉と同値させてしまうことによって最終的な判断を意識の問題に還元してしまったのである。

*

「第VII章 立場」の「第II部 言語的展開(II)」の「1 文学の価値(II)」では、ある文学作品にたいする感銘や価値評価には個人差と共通性とがあり、これをほんとうに解決しうる前提は《文学（芸術）についての問題の提出の仕方》（同前三一三頁）であり、吉本の企てが《他とちがう特徴があるとすれば、すでに既知の幅のなかにある問題の提出の仕方をとらなかったという前提だけだといっていい。だれがかんがえても、ただそれだけのもので、どうということもないといった既知の範囲におさまっている理論的労作などはありえないのだ》（同前三一四頁）と吉本はみずからの方法の独自性と優位性を豪語する。

「2　理論の空間」では《思想的根拠をもって主張せられた文学（芸術）の考察》（同前）のうち、その極としてどういうわけか社会主義リアリズムとシュルレアリスムがとりあげられ、ベリンスキー、ギュイヨーとマックス・ジャコブ（さらに西脇順三郎）の理論が紹介され、一定の評価がくだされるが、それらはそれだけのことであり、《ただの自然過程の理論にすぎない》（同前三一九頁）と一蹴される。これら二つの文学流派は、吉本がこの本を書いていた当時にあっては乗り越えるべき大きな課題であったかもしれないが、いまからみるととてもわかりやすい文学意識を相手に気楽なひとり相撲をとっている感は否めない。

文学（芸術）が狙うものの空間を、この二つの極のあいだにはさまれた領域に位置づけ、そこを戦場として見解の場を競うということにどんな意味があろうか？　そこでは理論はすべてみえすいている。不毛な荒野があるだけだ。いかなる文学（芸術）も価値という概念がかかわるときは根拠の深さを問われるという意味でだけ、これらの極のあいだに位置することに正当さが認められるだけだ。（同前三一九頁）

文学運動の理論とは本質的にありもしない領域に勝手な線を引き、そこを自分たちのありうべき領土とみなす、という《ただそれだけのもの》であることは最初からわかりきっている。問題はそんな領域でも領土でもなく、文学（芸術）作品がそれらをどれだけ現実のものにしたか、リアリティのある作品空間を実現したかだけの話である。

わたしたちがどんなふうに主張しようと、文学（芸術）がひとりひとりの創造家の力量以上のものをうみだすはずはないし、また、どんなに総括しても時代的刻印と制約のなかをでることはできない。だからこそ、たんなる自然の過程にすぎない個体の理論を、個性の理論としての自意識をぬいてしまって、普遍的な真理、方法であるかのようにさしだす理論の世界に身をおくことは、まったく無意味だと主張するのだ。（同前三二〇頁）

吉本はこんな言わずもがなの説明をしておいて、自分は〈立場〉という視点をとろうとする。すなわち、《世界をかえようという意志からはじまって世界についてさまざまな概念をかえようとするまでの総体をふくんでいる》（同前）のであって、《理論は創造をはなれることによって立場と化し、はなれることによって創造そのものに近づくという逆立ちした契機》(同前三二一頁)となるというのである。文学理論から〈立場〉の選択へ。それがみずからの立場だというわけだが、はたしてそんなうまいぐあいにいっているのか。

最後の「3　記号と像」ではサルトルの『想像力の問題』がここでも読みかえされ、言語表現の像意識とは、吉本によれば《像を表出の概念として意識にむすびつけることによって、つぎに表出を還元から生成へと逆立ちさせることでできる》(同前三二七頁)とされる。ここで吉本は表出概念の可能性——還元から生成へ——についてなにか言うべきことを言いたいのか、あまりはっきりしないまま『言語にとって美とはなにか』の考察はここで突然、強制終了されてしまうのである。ほんとうは言語の〈自己表出〉が還元の方向ではなく生成の方向への問題であることを問うことができれば、理論でも〈立場〉の選択でもない、言語そのものの理論的解明へ、ことばを書くことの創造性の問題、価値の探求にいきつかなければすまないということを吉本はじつはうすうす気がついて手を引いたのではなかろうか。

第四章　新たな詩的原理の可能性へ

1　『言語にとって美とはなにか』をどう総括するか

ある同世代の詩人から、いまの若い世代、自分の息子ぐらいの世代は吉本隆明の著書などまったく読んでいないし、そもそも名前も知らなくなっているという話を聞いて驚いたことがあった。もっと前になると、吉本は吉本ばななの父であるということで知られている、という笑い話とも思えない話題もあって、やっぱり詩の世界の話などは世間一般からするとほとんど関心の外にある問題らしいと観念せざるをえなかった。しかし、どうもそれだけではなく、詩人たちのかなり多くが吉本を読んでいないらしいことがわかってきた。それもかなりのヴェテランとも思えるようなひとでさえ、さすがに名前ぐらいは知っていても、まともに読んだことがないと平気で言うのにも愕然とさせられることが最近は多いのである。まして若い詩人たちなどならなおさらそれがあたりまえになっているのではないか。吉本の文章はそれでなくても悪文で、論旨も独断的だから、一般読者はもちろん学者などには最初から毛嫌いするひとも多かった。最小限の学問的な体裁をとることを蔑視しているように思われるからだろう。わたしの世代かそれ以上の世代がいまでも熱心に読んでいるようだが、最近はみな年齢のせいか、あまりそうした読みの成果なども見かけなくなった。ひと昔まえだったら、吉本隆明の名前を冠した本ならどんな程度の低い本でもそれなりに話題になったりしたようだが、ほとんどわたしの関心を引くようなものはなかった。《わたしの考えでは、……》というような吉本特有の言い回しを真似したがる論者のものなど、読むのも気恥ずかしくなるようなエピゴーネンが続出しただけで、それらはいまは誰も見向きもしないから、本棚の底に沈んだままだ。

　こうしたエピゴーネンの輩出ということにかんしては吉本の側にもいくらかの責任はある。吉本は読者にたいしてある種の共感を強いるような文章をしばしば書くことがあり、しかもそれは自分の論点がすこし危ういようなときにこそ吉本が〈わたしたち〉ということばを使うということである。例をすこしだけ挙げておこう。

《わたしたちは、言語の**価値**を自己表出からみられた言語の全体的な関係として考えた。》（『言語美I』一二二頁、強調は野沢）

《わたしのいわゆる〈架橋〉（自己表出）をはずしては、芸術の本質が語りえないこと、この〈架橋〉の連続性は、いやおうなしに時代的と個性的との刻印をうける**現存性**の構造をもっていること、などは、芸術の表現と表現者と現実とのあいだの、さまざまな属性を削りとったあとに、

わたしたちの方法がのこす最終の項だ。》（『言語美II』二四三頁、強調は野沢）

見てもらえばわかるように、ここで吉本はみずからの〈自己表出〉の概念にかかわるところで〈わたしたち〉ということばを使って読者との暗黙の了解があるかのように見せている。いわば一種の目配せであって、読者はあたかもこうした吉本の論理をあらかじめ承認しているかのように共犯者におのずと仕組まれているのである。こうした言い回しは一種の言語のトリックであって、たとえば酒井直樹が《異言語的な聞き手に語りかけるのではない語りかけの在り方、つまり、均質言語的な聞き手への語りかけの構え（homolingual address）の前提についての、密かな疑念[★1]》というかたちで表明している言語的詐術と同質のものではないか、とわたしは以前から疑っている。

しかし、わたしは吉本隆明の仕事自体はけっして簡単に否定されるようなものではない、すくなくともそのすべてではないとしても、『共同幻想論』や多くの文学論、詩人論などはいまでも読む価値のあるものは多いと思っている。吉本のものならなんでも受け容れるというスタンスをもたない是々非々の態度をもっているだけだ。いくらか割引しなければならない点は多いが、ひとりの思想家としての吉本隆明を評価する点では人後に落ちないつもりなのである。ここまでの論を総括するにあたって、そのことだけはあらかじめ言っておきたい。

★1　酒井直樹『日本思想という問題――翻訳と主体』岩波書店、一九九七年、四頁。

ここまで第二部第三章を、吉本隆明の最大の文学理論書であると言ってよい『言語にとって美とはなにか』の細部にわたる検討に費やしてきた。はたしてそれがどれほどの意味をもっているのか、にわかには断定しがたい。本書のもともとの構想は、日本の近現代において詩の言語の本質について体系的で原理的な考察を試みていると思われた二冊の書物、すなわち萩原朔太郎の『詩の原理』と吉本の『言語にとって美とはなにか』を批判的対象として、そこで何が問題とされ、どういうふうに論じられているのかを、わたしの言語隠喩論的観点から徹底的に検討し、それらがもたらしてきたものになにごとかを追加し、改変し、あるいはそれらの不備を匡し、新たな展望を見出そうとするところにあった。これまで読み込んできたところでは以前の読みとは格段に異なるかたちでこれらの理論書の意味が見えてくることになった、という感触はいまは十分にもてていると思う。

あらためて言うまでもなく、『言語にとって美とはなにか』は吉本の四〇代の仕事である。よくもここまでのものを書いたなと思う反面、本文中でもさんざん指摘してきたように、〈自己表出〉――〈指示表出〉という吉本のこの本でのキー概念は『言語にとって美とはなにか』を駆動する最大のモチーフでもあったから、吉本は最後までこの概念対を手放すことなく押し切ろうとした。だからこそ言語の問題を、それも文学の言語の問題を論ずるにはそれでは十分ではなかった、ということに気がつかなかったのではないか。あるいはもしかすると、この概念対を基底に据えるだけでは文学の問題、とりわけ文学の価値の問題は問いきれないということに最後のほうでは気がついてきたのではないか、とわたしは疑っている。すでに書いてきたように吉本はヘーゲル的な意識先行の思想家であり、思考のパターンとしてすべて意識的に文学的な、社会的な、哲学的な諸問題を理解できる、解決できるという思い込みが強い思想家である。したがって言語の問題にかんしてもそれを十分につかさどることのできる意識でもって統御できると思う種類の理論家なのである。

しかし、文学の言語とは一筋縄ではいかないところがある。何が文学作品をして真の文学的価値をもちうるものとするのか、それは作家や詩人がどれほど意識的な言語の使い手であったとしても、それだけで容易に実現できるものではないからである。とりわけ詩の言語はどうしてそれがあるかたちで書かれなければならないのか、その根拠は外在的に与えられることができないからである。理念から出発した作品の多くがたんなるメッセージ詩で終わってしまっているのを見ればわかるように、文学（とりわけ詩）を本質的なものとするのは、そこに発現したことばそのものの創造的な力による以外にはない。吉本の文学理論が主として詩以外のものに向けられているのはその意味で理由があるので、言語の二次性としての散文においては〈意味〉という側面において意識的な統御がかなりの程度まで可能であるのにくらべて、詩の言語は言語の一次性たる言語そのものの初源的な力に負うところが基本なので、意識だけではそのことばの組成がつかめないのが一般的だからである。意識を超えたところに現われる詩のことばこそがなにかわからない力をもち、詩を出現させ、詩の本質とは何かを考えさせる。それは散文作品としての小説などの場合でも、ほんとうの文学的価値はストーリーや社会的意識などにあるのではなく、その作品を文学的に価値あるものとする、ある特別の部分の言語的発見によってこそ見出されることを考えれば、本質的には同じと言ってもいい。いずれにせよ、わたしの言語隠喩論は言語そのものがもつ未知の世界を開示する創造的隠喩性を動力として、その言語的発見をつうじて詩が書かれるものであるという言語の本質に依拠しようとするものであって、吉本のようにすべて意識によって統御された言語だけからではほんとうの詩は生まれようがないのである。吉本の詩の多くが個人的なメッセージ性がつよいのもそういう理由があるからである。もちろん吉本が詩を書くとき、意識の統御のすきまからことばが発出されることも稀にないわけではないし、意識的に構築された詩だからといってすべてがつまらないわけではなく、こういう種類の詩もありうるのだ、という前提を立ててみても、やはり吉本が本質的な詩人ではなかった、というわたしの結論は論理的な必然なのである。

わたしの結論のひとつは、吉本は詩人であるよりも理論家であって、それがこの『言語にとって美とはなにか』という書物を生み出したのであるが、文学のことばそのものとの対峙よりも理論的枠組みが先行してしまう。そこに理論家なるがゆえの無理なモチーフがあって、文学の価値を言語の本質において発見することができていない。文学の価値もまた細部に宿るのであって、小説における〈文学体〉――〈話体〉といった概念対や文体の変化などではどこまでいってもある傾向性を認識できるだけであって、文学を文学とする根底には届かないのである。

『言語にとって美とはなにか』という書物はそういう意味でその内実にもっとも相反する書名をもったものである。〈自己表出〉―〈指示表出〉という概念対が世に広く濫用されているわりには、この本自体はあまりちゃんと読まれていないのではないか、とわたしはずっと思ってきた。いわば論の切り口と本の偉容、さらに吉本への全体的評価のゆえに読むだけは読んでも、よく理解したひとはほとんどいないのではないか、と思っている。わからないのは自分の頭のほうが悪いのだ、と思い込まされてしまった読者が多かったはずだ。わたしがしたように、辛抱づよくこの本の内容を点検して全体的に批評したひとははたしているのだろうか。この書物についてわたしはまともな論評を読んだことがない。たとえば加藤典洋はこの本の角川文庫版解説でこんなことを書いている。

この本を読み、吟味するのに、半年ぐらいかかっただろうか。結果は、この本によってわたしの言語観はほんの少し、動いた。この本の著者は、……曰く、詩は言葉の上での努力ではない、のではない、言葉の上での努力というものがそもそも、言葉の上にとどまるものではないのだ。水を含んだ太古の化石がある。そのように、言葉の中には、すでに言葉以前、言葉にならないものが、本質として、含まれている、と。★2

★2 加藤典洋「文庫版解説 言葉について」、『言語美I』三九四頁。

さて言語についての考え方は、長い間、言語を、伝達か表現か、二つの側面のいずれかを本質としてとらえるというアプローチで進んできた。つまり、労働や交通の用具といった実用性の側面（指示表出の側面）でとらえるか、遊戯や祭式の行動といった自発的な表出の側面（自己表出の側面）でとらえるか、あるいはさらにその混淆として考えるか、してきたのである。これに対し、吉本は、言語はこの二つの側面が兼ね備えられた時、はじめて言語になる、と言う。……言語を、必要のための指示の道具か、自分の感情の表現か、と問うべきではない。それは発語者の意図感情の表現として指示の機能を果たす時、つまり自己表出と指示表出の二つの側面をあわせもつ時、はじめて言語として成立しているのである。（同前三九五頁）

加藤典洋にしてこの程度の読みしかできないのである。言語についての理解が浅く、吉本隆明の理論への同調的観点からのオウム返しだけだから、なんらかの批評的観点もみてとれないのも当然である。だから最後に《吉本は明らかに戦後で最も独創的な思想家だが、この本における独創の深さはただごとではない》（同前三九八頁）と締めくくっているが、加藤も言うように、『言語にとって美とはなにか』はたしかに独創的な書物であり理論書であっても、そこに現前したのは読者をわかったようにさせる独自の概念対とそれにもとづいた壮大な思い込みの体系である。加藤にはそうした体系への疑念はすこしもなかったようだ。それはほかの吉本読者にも多かれ少なかれみられる現象だろう。こういうひとつの体系にもとづいた文学理論の書があったというかぎりでは、それなりの存在理由があるというにすぎないのである。『言語にとって美とはなにか』という書物は、吉本において言語の〈自己表出〉という新奇な概念を提出しえたことによってひとつの里程標を成しているが、書物自体としては壮大な失敗作であると言うべきである。

＊

わたしが本書を書きはじめたところからみると、ずいぶん遠いところまできてしまった感がある。わたしも以前はこの加藤のように通りいっぺんの理解ですませてきたところがあり、今回のように精密に読みなおしてみることでようやくこの本の虚妄のカラクリがわかってきたのである。読み込めば読み込むほど、吉本の理論の独断性、思い込み、飛躍と断絶、いたるところにみられる疑似論理性——こういった一連の問題がつぎつぎと現われてくる。それらを根気づよく暴露していくことで、これまでの漠然とした読みがいかにくもをつかむかのような幻想だったかがわかってきた。それにはわたしなりに言語隠喩論的な自前の理論を構築しえたことが根底にあり、みずからの理論構築と照合することによって吉本の論の展開において見えてきたさまざまな問題点がはじめてその実態を見せたのだと言ってみてもいいかもしれない。文学言語（とりわけ詩の言語）を問題にするかぎり、書き手の言語の運用を意識の観点からだけではけっして解明しえないコアの岩層にぶちあたる面があり、これを解明しえないかぎり、文学（とりわけ詩）の価値は問うことができないことをあらためて痛感するばかりである。吉本が他の領域でなしとげている実績にくらべて、『言語にとって美とはなにか』は吉本のもっとも弱い問題意識に触れてしまったことで、言語本質にたいする理解の浅さが露呈してしまったのである。この本は吉本思想のアキレス腱であった。

ここまで書いてきて、ある詩人のことばを引いてみたくなった。

あなたの難解な著作を、二十数年前に愛読しました。『言語にとって美とはなにか』や『共同幻想論』などです。（中略）／その後も、「修辞的な現在」というキーワードで現代詩を批評した『戦後詩史論』や、『マス・イメージ論』を読む機会がありましたが、かつてのように気を入れて読むとか、知的興奮を味わうということはありませんでした。／しかしながら、二十数年前、少しも理解が進んでいたわけでもないのに、なぜ、あなたに魅了されていたのか。そして、なぜ今なお、「教祖」のようにあなたを思い続けているのか。（中略）当時、一九六〇年代から七〇年前後の時期、あなたは戦後思想界のスター的存在であり、全共闘運動の学生たちから熱烈な支持を受けていました。（中略）／「自立」という言葉の持つ厳しさは、輝いています。（中略）「自立の思想」といったキーワードが、どれほど励みになり、支えになったことか、今になってそんなふうに振り返っています。（中略）／あなたの文章からは、まず「啖呵の切り方」を学んだように思います。高飛車な物言いや、罵倒語を混入した批判は、今、読み返してみるとやや気にかかるのですが、断定的な発言は勇気を与え、力づけてくれるものでした。★3

長々と抜粋引用したが、これはわたしと同世代、正確に言えばすこし下の世代の詩人、高橋英司のかなり以前の文章である。こんな古証文を引き合いに出されるのも迷惑な話だろうと思うが、ここにはある時代にこういう思想的な感性が一般的にも流通していたことが率直に述べられており、高橋はローアングルながらきわめて誠実な批評意識をもつ詩人としてわたしは信頼している。これは手紙の形式を仮構した一連のエッセイのひとつであるが、ここで述べられている多くのことにわたしは共感できるのである。高橋はこの手紙の最後でこんなことを書いている。《あなたに対する批判についても、今回は触れないことにします。多少の瑕疵は誰にでもあることですし、自分が影響をうけた思想家・詩人に対して、やはり失礼だと思ったからです。》（同前九四頁）——ここに高橋らしい節度があることは間違いない。そうすると、わたしがここまで書いてきたことはこの節度を超えていることになるのだろうか。思想の批判的継承とはどういうことかをあらためて考えざるをえないが、なすべきことはなすというのもわたしの流儀なのである。そして理論

★3　高橋英司「吉本隆明氏への手紙」、『Xへの手紙』書肆犀、二〇〇一年、八五—八七頁。

というものは鵜呑みにするものではなく批判に耐えられるべきものであって、そうでない場合には、それが書かれ読まれた当時いかに影響を与えたものであったとしても、長いあいだの検証に耐えられるものであるかどうかに、その理論の歴史的価値は定まってくるものであることは避けられない。そしてこれはよく言われるように、あとからくる者の後知恵であるとしても、批評の宿命としてそのことはやはりなされなければならないのである。

2　詩的原理をどう再構築するか

ことばは開かれていなければならない。何にたいしてか？　ことばそのものにたいして、だ。ことばには意味が付着し、ひとびとのあいだにコミュニケーションを成り立たせ、行動を起こさせ、そうして社会を構成していく。それはまた思考をうながし、それによって概念を生み出し、時代の思潮を組みなおしていく。しかし、いかなる時代にあっても人間の思考や観念には、ことばに書かれることにおいてしか、それ自体が何であるのか、何でありうるのか、を明らかにしえないありようが存在する。あらかじめなにものであるかを決定することのできない、決定されえない精密な思考や観念を開示することばのかたちというものがあるのだ。

詩がそういうことばのありかたのひとつであることは言うまでもない。しかも、その典型的なかたちであることもたしかなことである。世の多くのひとびとはそういうことばのかたちがあることは知っていても、それが存在することの必然性を知らない。なぜなら、そういうことばは社会的流通の世界とはかけ離れた世界を構築しており、そこに関心をもとうとしないかぎり不可視の世界だからだ。しかし、それはある種の秘密結社のような閉鎖された関係世界ではなく、じつはことばという誰しもが手に入れている（と思われている）ツールを何かへの代用品としてではなく、それ自体の不思議さ、豊かさに気がつけば、誰にでも入ることのできる開かれた世界なのである。

ひとはどうして詩を書こうとするのであろうか。それはなにか既存の世界を自分のことばでなぞってみようとすることでもなければ、社会的にあるべき理念をことばのうえで仮想的に織りだしてみようとすることでもない。たしかにそのような振舞いで社会的に評価されることもあるが、それは詩の価値を通俗的に切り下げたものでしかない。また、ことばの既存の意味をあらかじめすべて排除し、ことばの配列をむりやり破壊して、何が書かれているのかまったく理解不能であるようなことばの羅列をもって自己満足するのでもない。

誰しもことばを覚えはじめたときからなにかの拍子でことばの特殊な意味あい、輝き、未知なるがゆえのあこがれ、といったものをいくつも経験しているはずである。そしてひとは生長し、社会（他者）というものを学習していくにつれて、それぞれのことばはローラーにかけられるようにして平均化され、一般的でないものはすりつぶされ、常識というものを取り込まされていく。

ことばの特異なかたちとか手ざわり、ニュアンスは不要なものとされ、社会（他者）との迅速かつ適格な交通のための一般ルールを学ばされる。ことばの使用は効率化され、交通ルールは〈概念〉というかたちで整序されて、コミュニケーションは簡便化される。覚えたてのことばへの関心、驚きといった初期状態はオトナの世界のなかでは排除されてしまうのだ。

ことばも社会とともに歴史的な形成物である。歴史的発展とともにことばも社会も新たな形成とそれにともなう知の発展を必要とし、過去の蓄積をさらに増殖させていく。なかには忘却のなかに沈んでいく記憶もあるだろうが、あらたに掘り起こされる知も一方では存在し、総体としては人間世界の知は増量していく一途であろう。そうしたなかでことばは変容し増殖し、その一部は死語となり、あるいは日常の使用には向かないものが出てくるが、時代に対応し、変形され、あらたな生命を吹きこまれることばもつぎつぎとうまれてくる。その意味ではことばは社会や歴史とすきまなく対応していると言えるだろう。

こうした加速化する一方のあわただしい現実世界のなかで、かならずしもその世界に同調しようとしないひとが存在する。すくなくともある程度の同調は社会人として引き受けながらも、どこかでそうした自分のありかたに納得せず、しかしたんなる遊戯性や享楽へ逃亡するのではなく、この世界を根底から懐疑し、ありうべき世界への可能性をもとめようとするひとたちが存在する。社会というものがおのずともっている同調圧力にたいしてたえず別の存在のしかたを想像し、夢想し、それを言説化すること。それが思想家だったり芸術家だったりするのである。詩人とはそうしたひとびとの一角をになう種類の人間であるが、とりわけことばのもっとも尖鋭な創造者たるべき存在なのではないか。

＊

ここまで萩原朔太郎と吉本隆明の詩論を批判的に検討してくるなかで、その多くの論点を批判ないし否定してきた。原理的に考えるとどうしてもそういう傾向をもってしまうことは否めない。《批判が少なくない。普通なら索引で取り上げられれば好意と考えたいところだが、ここではそういうことは意外と起こらない。むしろ否定的に扱われる例が目につく。[★4]》——これは『言語隠喩論』について鈴村和成が書いてくれた書評の一部である。全体に好意的な論脈のなかでこの部分はわたしの批評的スタンスが否定詩学的な傾向をもつことをやんわりと指摘している箇所である。たしかに『言語隠喩論』では参照すべき重要な文献ではあっても、どうしても不満をもたざるをえなかったのは、いずれの論者も言語そのものの隠喩性という本質への理解にまではいたっていないか、すくなくとも言及していないからなのであって、そこをどうしても強く主張するためにはあれもダメ、これもダメと言っているばかりに見られてもしかたがなかったのかもしれない。それでもある読者のように、同じところをぐるぐるまわっているばかりとしか読み取ることはい。

★4　鈴村和成「白いエクリチュールとともに」、『図書新聞』二〇二一年十一月二十七日号。

ができず、詩とは何であるかをちっとも教えてくれない、とみずからの非力を棚に上げてひとにチャート式の安易な回答をもとめるような読みかたとはまったくちがう理解を鈴村がしてくれているのはさすがである。詩をどう理解すれば最善なのか、どう書けばいい詩が書けるのか、といった問題は本来的に誰にも正解があるわけではない。それはひとりひとりがみずからの力で考え、実践してみるしかない問題なのである。わたしが一連の言語隠喩論的主張で述べようとしているのは、言語それ自体がもつ本質的隠喩性と創造的世界開示性、いわば隠喩的突破力をいかにして実現しうるのか、という大前提以外のなにものでもない。わたしの主張がむずかしいと言うひとがいるが、それはこの基本的観点を共有してもらえれば氷解するだろう。

萩原朔太郎のように、詩の本質は〈非所有へのあこがれ〉(『全集第六巻』六一頁) だなどと言ってみても、朔太郎のロマン的情念は共有できたとして、それ以上の認識は得られないだろう。しかし、どうしてもなにかポジティヴな言いかたが必要だとすれば、以前にも引用したように、《詩人があつて、言葉が出來てくるのではない。言葉があつて、詩人が生れてくるのである。換言すれば、言語が詩を決定するのである》(同前四五六頁) という朔太郎の根源的な言語への姿勢こそ、詩を書く者がつねに念頭においておくべき認識である、とでも言うしかないだろう。そして言語そのものにたいする理解をどこまでも進めること、さまざまな社会的イデオロギー的な既成の意味からいったんみずからを解放し、さまざまな言語のはたらきをつぶさに取り込んでいくこと、そうした日常的な言語へのアプローチのなかからしかことばの本質的な可能性への視野が開かれていくことはないだろう。わたしが「意識を超えて詩を書くこと――日本詩人クラブ大阪例会講演」（前掲『ことばという戦慄』所収）でさまざまな読書経験の積み重ねをわざわざ強調したのも、読書ということばの体験が詩を書くうえでの源泉となり、書き手のことばのこうした蓄積こそがモノをいうことを示しておきたかったからである。詩を書くという現場ではことばの蓄積こそが深さと奥行きという点で実効性があるのだ。《胸に千巻の書あれば語を下すおのづから来歴あり》という幸田露伴が紹介している芭蕉のことばの意味とはそういうことである。詩を書くうえで無駄な知識というものはないのである。

萩原朔太郎と吉本隆明の原理論的な仕事を検討してみて考えさせられたのは、それぞれの仕事がその時代に残した意味と現時点での意味は当然ちがっているので、そこから何を今後のために生かすことができるか、という問題が最後に残されているということである。

詩的原理論というのは詩のことばをめぐる体系的な思想だから、自分ひとりの思い込みで押し通すことはできない。詩人はものを知らなくてもことばに通暁することができるなどというのは無知な詩人の勝手な思い込みにすぎない。詩人が詩論を書くことに否定的な見方をする詩人がいまでもかなりいるようだが、自分が詩を書くことにどこまで自覚的であることができるかという問題意識なしでことばに立ち向かうことは意味のない猪突猛進的行為である。萩原朔太郎が直観的な詩人だったのは、ことばにたいするプラトン的なイデア思想が根づいていたからである。朔太郎の哲学好きは偏向的でかなりいかがわしいところがあるが、しかし〈非所有へのあこがれ〉

というような理念そのものはロマン主義的であるとはいえ、朔太郎の詩のことばに固有の確信を与えているという意味では重要な思想性をもたらすものであったことは疑えない。同じ哲学的言語でも吉本隆明においてはこうしたロマン主義的な言説への関与は見られず——おそらく吉本にはプラトンはおろかギリシア思想への言及はどこにもないはずである——、もっぱらヘーゲルが中心になっているのが特徴的である。このふたりの詩論を対比的にみるとよくわかるが、朔太郎はより詩人的であり、吉本はより理論家的である。朔太郎の『詩の原理』は一見すると体系的な構成だが、ほんとうの構築性はなく、みずからも認めるように心情的（ロマン的）であり、いま読むと現代的価値はほとんどない。あるのはみずから詩を書くうえでの自覚をうながす詩的なるものへの理解の努力の個人的痕跡だけである。一方、吉本隆明の『言語にとって美とはなにか』はもともと詩のための理論である以上に文学全般の言語を対象にしているため、朔太郎のような詩論としての徹底性に欠け、しかも肝腎の詩論の部分は〈自己表出〉——〈指示表出〉の概念対を振りまわすだけで詩的言語そのものの原理的考察には見るべきものがない。何度も言うように、小説や物語の言語は、ストーリーの展開や通常の意味の流通を成り立たせるために、言語そのものの一次性（本質性、そのもの性）ではなく言語のもつ二次的機能としての散文性（流通機能中心性）をベースにしたものであるから、原理的に詩の理論にはならないのである。しかし、吉本のヘーゲル主義的論理が不意にのぞかせる理論とのあいだの空隙というか弛緩、そこに詩人としての実感からくる言語的異質性が意識からの制御を超えてしまう瞬間がところどころにあり、その点はここまでも何度も指摘したとおりであって、そこにかろうじてこの本での詩論的意味（の可能性）が垣間見えるのではないか、そこにわたしの言語隠喩論との接点が見出されうるのではないか、というのがわたしのとりあえずの結論である。

それはどういうことか。

吉本の言語の〈自己表出〉という概念はそもそもきちんとした定義がどこにもないのは、すでに時枝誠記によっても鋭く指摘されたとおりであるが、もともとヘーゲル的な意識の統御のもとにある言語の創造的一面を特権的に取り出そうとしたものである。ここでもうひとつの〈指示表出〉という概念は〈自己表出〉との関連で便宜的に提出されたもので、こちらのほうは一般に言語の流通上の意味と考えてもとくに困難は生じないという意味で無用な概念であるから放棄してしまってかまわない。しかし〈自己表出〉という概念は意識の統御をとりはずして言語そのものの自己表出というふうにあらためて定義しなおしてみることが可能である。そうとすれば、詩の言語の自発性、自立性といった意味とかぎりなく接近してくる。わたしの言語隠喩論的言語観は詩人が詩を書くときに外部からの意識的統御からいかにして解放され、ことばに本来の自立性を与えられるか、というところに出発点をもとうとするものであるから、言語の自己表出が詩的内圧以外のいかなる内圧もうけずに実現されるものであるならば、それは詩が発動する起点にもなりうるものとなる。この概念は意識の干渉を取り除けるかぎり、重要な詩的意義をもって再生しうるものと言ってもいい。言語の自立性というよりもうすこし強いアクセントをもつことばとしても言語隠喩論的に利用することは可能となるのである。もっとも、実際には吉本的バイアスがかかりすぎた概念として使いにくいことは言うまでもないが。

萩原朔太郎『詩の原理』と吉本隆明『言語にとって美とはなにか』を読みなおすことで、詩の原理的な問題をみずからの『言語隠喩論』の提起とすりあわせるつもりで本書をスタートさせたのだが、実際のところ、それぞれを読み進めるごとにこの両者への理解（と批判）、そしてみずからの理論への確信（と次なる課題）が見えてきたのも事実である。まことにエドワード・H・カーの言うとおり、《自分が主要史料と考えるものをすこし読みはじめたとたん、猛烈に腕がムズムズしてきて、自分で書きはじめてしまうのです。それからは、読むことと書くこととが同時に進みます。読み進むにしたがって、書き加えたり、削ったり、書き改めたり、除いたりというわけです。また、読むことは、書くことによって導かれ、方向を与えられ、豊かにされます。書けば書くほど、わたしは自分が求めているものをいっそうよく知るようになり、自分が見出したものの意味や重要性をいっそうよく理解するようになります。[★5]》――これは歴史家としての自身の仕事をふまえた経験であるが、書くことの本質にせまる真相であろう。本書もまさにこのようにして進められた結果なのである。

いずれにせよ、萩原朔太郎と吉本隆明の原理論を踏まえたところで、わたしの言語隠喩論が詩のことばの原理としてはやはりもっとも正統な原理であることを認めてもらうしかない。詩をどう書くか、あるいは書かれた詩をどう読むか、ということにたいする直接的な回答としてではなく、それよりも詩のことばとはいったいどういうものであるのかを問うことが先決であり、それは言語そのものの本質的隠喩性、創造的世界開示性にあることをはっきり認識するところから詩は始まるのだということを、詩にかかわる者がきちんと理解し、詩にむかうべきだということである。このことは『言語隠喩論』でしつこいほど主張したことであるから、いまここではこれ以上くりかえすことはしない。ただ、言語の原理的考察が詩の実践にどういう方向性を示唆しうるか、という問題は、あくまでも個人的な実践の問題であって個別に考えてもらいたいと言うだけでは、なかなか糸口をつかめないというひともいるにちがいない。わたしとしてはそうした個人的な実践の応用篇として『ことばという戦慄——言語隠喩論の詩的フィールドワーク』というサンプルを批評としては提出したつもりである。これは言語隠喩論的批評の切り口から既存の詩作品を分析するものであるから、詩を書くうえではその逆コースをたどってもらえれば、なんらかのヒントになるかもしれない。しかし批評においてはあくまでもできあがった作品についてしか語ることはできないことには変わりはない。だからわたしとしては詩はそのモチーフを言語的に発見し、そこからことばの自立的な展開力に身をあずけて行けるところまで行くしかない、としか言うことができない。すくなくともわたしの経験ではことばが動きだしたら、けっして振り返ることなしにことばの自動的な展開にまかせていったんは書ききるしかないのではないか、と思

★5　エドワード・H・カー『歴史とは何か』清水幾太郎訳、岩波新書、一九六二年、三七ページ。

う。その後に意識的に手をくわえることはあっても、この動力を生かすことが重要である。このことは詩ではないが、夏目漱石が子規に宛てて書いた手紙からおおいに刺戟を受けたものである。

思想中に熟し腹に満ちたる上は直に筆を揮ってその思ふ所を叙し、沛然驟雨の如く勃然大河の海に瀉(そそ)ぐの勢なかるべからず。文字の美、章句の法などは次の次のその次に考ふべき事にて idea itself の価値を増減するほどの事は無之(これなき)やうに被存候。★6

漱石がここで言おうとしているのは、ことばのイメージが熟してきたら脇目もふらずに《沛然驟雨の如く勃然大河の海に瀉ぐの勢》で一気に書けるところまで書くこと、《文字の美、章句の法などは次の次のその次に考ふべき事》だということである。そのうえで正岡子規がことばを矯めずに書き散らしていることを注意しているのだが、そこがまたおもしろい。《御前の如く朝から晩まで書き続けにてはこの Idea を養ふ余地なかからんかと掛念仕る也。勿論書くのが楽(たのしみ)なら無理によせと申訳(もうすわけ)にはあらねど毎日毎晩書て書て書き続けたりとて小供の手習と同じことにて、この original idea が草紙の内から霊現する訳にもあるまじ。》(同前)——この漱石のことばほど書くことの神髄を簡明かつ適切に述べた例をわたしは知らない。これは詩を書くさいにもおおいに参考になることである。周知のように漱石は《私は意識が生のすべてであると考えるが、同じ意識が私の全部とは思わない》(同前二八一頁)とも書いているぐらいに意識主義者であるが、それでも意識を超えることばの力を知っているひとでもあった。意識主義者だが、意識だけで収まらないことを知り尽くしていたひとでもあったのだ。わたしはこの漱石の書くことの根本的な公理にもとづいて詩も評論も書くようになってから異常なほど書けるようになったという実感がある。ことばに憑依すること、これが詩を書くことの方法のひとつである。そしてことばに憑依するとは、さきほども述べたように、みずからのうちに蓄積されたことばの内実、その深層からの湧出という局面がおのずから実現するように日頃からことばをストックしておくことである。そこから詩のモチーフが導きだされることもあるだろうし、きっかけさえあれば、書こうとするその先にそれらが突然あらわれでることもあるだろう。言語とはそういった連続と不連続の切面に突出してくる可能性をもつのであり、詩とはそれをすばやくキャッチする技術でもあるのだ。

詩を書くことはけっして容易なわざではない。詩は書こうとして書けるものではないが、書こうとしなければけっして書けないものでもある。書こうとするときに意識が妨害してしまうこともあり、意識の介在なしではうまくことばをコントロールできないこともある。ことばの自由というほど得がたいものはないので、漱石の言うように《思想中に熟し腹に満ちたる》ときをたえず意識的に培養し、ときを得たら《沛然驟雨の如く》にことばを生きてみるしかない。それは詩人が、カーの言う歴史家と同じように、《「なぜ」と問いをつづけるもので、解答を得る見込みが

★6 『漱石書簡集』三好行雄編、岩波文庫、一九九〇年、一九頁。

あるかぎり休むことはできない》（カー前掲書一二七―一二八ページ）種類の人間だからである。詩人は四六時中ことばと向き合い、ことばを磨くひとでなければならないのである。

『言語隠喩論』は詩的言語論である以上に言語の理論であって、言語学者にとっては詩の言語は興味の対象外であるからほとんど認知されることはむずかしいが、ことの本質上、これは言語の一次性についての理論であり、せめて哲学者がことばの専門家としてもうすこし理解をしてくれるのではないかと期待したが、哲学者も〈隠喩〉という概念にたいしては意味の置換・転位作用、代理表象の理解レヴェルにどっぷり漬かってしまっていて頭の切替えができないひとがわたしの知るかぎりほとんどのようである。まことにマルクスがかのフォイエルバッハ・テーゼで言うとおり、《哲学者たちは世界をさまざまに解釈してきたにすぎない。重要なのは世界を変えることである。[★7]》そうなると言語の一次性たる本質的隠喩性について詩を書くひとたちがもうすこし関心をもち、みずからの詩作の原理的拠点をそこに見出そうとするひとが増えてほしいと願わずにはいられない。詩的メディアの編集者にいたっては隠喩も換喩も同じ程度の問題だくらいに放言して恥じないひとがいるぐらいだから当面は詩的原理の革命的再構築などには目が向けられることはないだろう。もともとこんな面倒くさい詩論など読むひとはそんなにいないから、これはスタンダールではないが、将来の読者に託すしかないと観念している。

　とはいえ、本書で試みたこうしたたえざる言語的関心は言語隠喩論の要請する課題なのであって、わたしの目標はまた別の問題にむけて動きださなければならない。ここまで書いてきてあらたに見出されたことは、朔太郎や吉本以外にも対象とすべき詩人や詩論はまだまだ存在しているということであり、さしあたってはこれまで『ことばという戦慄――言語隠喩論の詩的フィールドワーク』ですでにとりあげた何人かの詩人もふくめて多くの詩人たちの詩と詩論をさらに掘り進めていくことである。何人かのひとにこうした作業は地味で報われない仕事だと言われたことがあるが、わたしはまったくそう思っていない。よけいなお世話と言わせてもらおう。ほんとうに書く意味のある詩を書くことができれば、それが一番だが、読むだけでもアタマが悪くなりそうな詩を書くよりはなにほどもやりがいのある仕事だし、もともときわめて少数のひとのために書かれるものだとしても、それだけでも価値のある仕事だとあらかじめ覚悟しているからである。

★7　カール・マルクス「フォイエルバッハについての十一のテーゼ」高島善哉ほか訳、『世界の大思想　マルクス』河出書房、一九六七年、一九七ページ。

［付　論］

吉本隆明の言語認識——『言葉からの触手』再読

1

本書第二部の派生的問題のひとつとして吉本隆明の『言葉からの触手』（河出書房新社、一九八九年）について検討してみたい。というのは、第二部で吉本の『言語にとって美とはなにか』を読みなおし、かなり我慢をして逐条的に『言語美』の内容を検討するなかで吉本の言語にたいする考えがとても図式的であることがあらためてわかってきたからであり、それもみずから提案した〈自己表出〉―〈指示表出〉概念をあまりにも過信するあまり、もし吉本が真正の詩人であるなら考えられないような、詩的言語にたいする硬直ぶりを感じざるをえなくなったからである。それだったら言語をめぐる別の構想のもとに書かれただろう『言葉からの触手』のような本のなかにもっと詩人らしい言語観がうかがわれるのではないか、と言語をめぐる散文詩のようなものだったという記憶のあるこの本にもういちどあたってみるべきではないか、という内心の囁きが聞こえたのである。

『言葉からの触手』は組みもゆるく余白の大きい本で原稿用紙換算（古い言い方で恐縮だが）で一〇〇枚にもはるかに満たない、一六の断章からなる単行本である。わたしがことばをめぐる散文詩のようなものと形容したのはそうした本の体裁にも由来するのであるが、吉本自身にも書いてみなければ何を書くかわからないといった態度が見られるからである。

最初から「あとがき」を引用するのは批評としては邪道だが、いまは問わずにすませてもらおう。

この断片集は、言ってみれば生命が現在と出あう境界の周辺をめぐって分析をすすめている。そしてこのばあい境界を出あいの場にしているのは言葉だとみなされている。生命が現在と出あうという言い方はあまり耳なれないものだ。わたし自身にも耳なれないといってよい。しかしこの概念はわたしが好んでつくりあげたわけではなく、現在流布されているある種の理念が、生命という概念を内面性という概念に代えてとりあげる場所を提供していて、この理念に言及しようとすると、どうしても生命が現在と出あうという言い方になってしまう。（中略）生命の活動を精神のはたらきとして包括できる緒口は、言葉の概念のなかに含まれているという考え方が、ここでの考察をすすめる原動機となった。（同書九二―九三頁）

ここで吉本が〈現在〉と出会うというとき、このことばは『マス・イメージ論』（福武書店、一九八四年）あたり以降の吉本の関心をすぐさま想起させる。『言葉からの触手』でもそういった問題関心が持続していることを示している。「(4　書物 倒像 不在」の断章にはこうある。――《もし世界が反復も霧散もならないほど逼迫していたらどうするだろうか。世界はじぶんの無意識に、じぶんの逼迫を映しだすにちがいない。わたしたちは、この無意識が逼迫したときの世界の倒像を、極限としての**現在**とみなしている。》（二三頁）

このパッセージはすこしわかりにくいかもしれない。この引用のまえ、冒頭に《わたしが書く。書きすぎる。するとなにがこの世界におこるのか。わたしに実感できるのは、一瞬だけ書きおえた安堵にひたり、胸や頭のあたりが空っぽになった気がし、しばらくはおぞましくて、どんなことも書きたくないという感情に支配されるということくらいだ。（中略）わたしが、ではなく世界が書きすぎ、書物が氾濫しすぎたら、なにがこの世界におこるのか》（二二頁）とあって、世界が書く、すなわち書物が氾濫する事態に吉本がなにやら当惑ないし反撥していることがうかがわれる。《世界は、書物の情報量の総体だけ神経系統に障害をうけるといっていい》（二三頁）などと言うのだが、してみると現在の世界は書物の氾濫によって毒されていると言いたいようだ。もちろんそうなのだが、この《**現在**というものの病原》（二四頁）をめぐるこの本ははたしてどういう書物なのだろうか。

吉本は言う。――

書物。それは紙のうえに印刷された文字の集積体でもなければ、ある著作者の観念の系譜が、言葉にあらわされたものでもない。それは表側の視線からみると、起源からやってくる人間の反復・霧散・逼迫の連続体であり、裏側の視線からみると、終末から逆に照射された人間の障害・空洞・異種または同種交配の網の目である**現在**のことだというべきだ。書物は、至上の書物あるいは最高の書物でも、ただひとつの絶対的な真理を埋蔵することは、先験的にできない。その理由は、どんな書物も書物であるかぎり、表側からの反復・霧散・逼迫と裏側からの障害・空洞・異種または同種交配の視線によって、はじめてこの世界に存在できるからだ。》(二一五頁)

書物をこのように世界の現在と同値させようとするとき、吉本は何を言おうとしているのか。単純に書物の否定でも世界の否定でもないことは明らかだが、それらがともに〈現在〉という接点で結びつけられるとき、いずれもなにがしかの傷を負ったものとしてわれわれのまえに投げ出されている。このあたりの論述はいささか散文詩的であり、一見そうみえるようには論理的でなく、情緒的である。

もうすこし吉本の論述の先を見てみよう。すると「(11　考える　読む　現在する」という断章にいたると吉本の思考の方法らしきものにぶつかる。

知的な資料をとりあつめ、傍におき、読みに読みこむ作業は〈考えること〉をたすけるだろうか。さかさまに、どんな資料や先だつ思考にもたよらず、素手のまんまで〈考えること〉の姿勢にはいったばあい〈考えること〉は貧弱になるのではないか。わたしたちは現在、いつも〈考えること〉をまえにしてこの岐路にたたずむ。そして情報がおおいため後者の方法にたえられずに、たくさんの知的な資料と先だつ思考の成果をできるだけ手もとにひきよせて〈考えること〉に出立する。(六〇頁)

そして吉本は《素手のまんまで〈考えること〉の姿勢》にはいるのではなく、《知的な資料と先だつ思考の成果を〈読む〉》段階にはいってしまっているのではないか、とみずからもふくめて危惧するのである。そういう意味では近ごろはやりになろうとしているChatGPTなる人工知能もどきの〈考えること〉の自動生成システムをまことしやかにもてはやす人間の出現――こうした〈考えること〉自体の崩壊を予見するものであったと言えるほどなのである。

そこまでいかなくても、吉本はすでに〈考えること〉の崩壊に敏感である。

現在は、すでに〈考えること〉のとおくまでやってきた。〈考えること〉は、単独でも、また〈考えること〉をしているときだけ、確かに存在しているようにみえる〈わたし〉とひと

組みでも、もう存在しなくなってしまった。（六三頁）

これは吉本の危機であるばかりでなく、わたしたち全体の危機であり、とりわけ〈考えること〉を言語実践の場において実現しなければならない詩の危機なのであることも疑うことはできない。

2

ここまで吉本隆明の『言葉からの触手』をめぐって気になる問題点を拾い出してきたが、ここから先は当面の検討課題としてきている『言語にとって美とはなにか』に出てくる問題とも関係する論点にしぼって考えていくことにしたい。

一九六五年に初版が出た『言語美』はその後、何度か版をあらためているが、川上春雄による角川選書版（一九九〇年）の「解題」によれば、この選書での大幅な改稿が「定本」として位置づけられており、角川ソフィア文庫版の二冊本（二〇〇一年）にそのまま継承されているようである。すでに書いたことがあるように、わたしが最初に『言語美』を読んだのは『吉本隆明全著作集6 文学論III』（勁草書房、一九七二年）の版においてであり、初版と角川選書版は見ていない。しかし吉本が最終的に「定本」として確認した選書版の文庫化であるから手元の角川ソフィア文庫版の二冊本で十分であると考えていることもあらためて言っておく。

そうした改訂版『言語美』と『言葉からの触手』とはじつは一年しか刊行時期がちがわないのである。『言葉からの触手』の執筆は一九八五年から八九年にかけてであるから、そこまで深く関連づける必要はないかとも思われるが、しかし『言葉からの触手』はどこかで『言語美』とつながっていると考えるほうが自然である。

たとえばさきに引用した《知的な資料をとりあつめ、傍におき、読みに読みこむ作業は〈考えること〉をたすけるだろうか。さかさまに、どんな資料や先だつ思考にもたよらず、素手のままで〈考えること〉の姿勢にはいったばあい〈考えること〉は貧弱になるのではないか。わたしたちは現在、いつも〈考えること〉をまえにしてこの岐路にたたずむ》といった箇所には『言語美』執筆の背景がおのずから語られているように思える。もちろん《知的な資料をとりあつめ、傍におき、読みに読みこむ作業》と《どんな資料や先だつ思考にもたよらず、素手のままんで〈考えること〉の姿勢》はかろうじて両立可能ではあろうが、『言語美』においては《素手のままで〈考えること〉》の結果として例の〈自己表出〉―〈指示表出〉概念の発見（思いつき）という先行があり、その後、この概念対をもって日本文学史の通史的検討に入っていったという経緯がよく見えるのであるから、吉本が『言葉からの触手』の断章11で言っていることは自身の実感に即していると考えられる。ここは吉本ならずとも本質的でオリジナルな批評を書こうとする者にとっては必然的な両面であると言うべきである。《素手のまんまで〈考えること〉》とは一般の文学研究者では望んでも得られない立場であり、一方ではその危うさが諸刃の剣にもなりうる批評家の立場であって、ともかくも吉本が後者の選択をしていることはいまさら言うまでもない。

生活のなかで出あう出来ごとの連鎖が、ひとつの系列をなしていて、その出来ごとのひとつひとつは偶然の出あいなのに、必然みたいにみえて仕方がないとき、わたしたちはその出来ごとの系列を運命と呼んでいいかもしれない。おなじようにひとつの文学作品のなかで、言葉の意味の流れが偶然に無意識の連鎖をつくっているのに、あたかも必然みたいに感じられるとすれば、それを作品の運命と呼ぶことができよう。そうだとすれば文学作品の運命は、生活のなかの運命とおなじに、大なり小なり物語をつくっていて、物語の起伏のなかにみつけだされるのだろうか？　たしかにそう言えないこともない。（「14　意味　像　運命」七八頁）

ここで吉本がイメージしている〈文学作品〉とは詩ではなく、物語（小説）であることは明らかである。生活のなかの《出来ごとのひとつひとつ》、物語のなかの《言葉の意味の流れ》とはそれぞれ散文的（日常的）な世界（または疑似世界）のそれであって、ほんらい自然で論理的な流れのなかにあるはずのものが《偶然の出あい》のようにも《偶然に無意識の連鎖》のようにも見え、それらが《必然みたいにみえて仕方がない》《作品の運命》と呼ぶしかないというふうに見えるだけだ。日常であれ物語であれ、散文的（日常的）であるとは言っても、それが生活であり生命であるかぎり、次の瞬間が決定されているわけではないのは、生活とか生命というものがはじめからそういうものだからにすぎない。ひとは生きているかぎり、つぎにどんな〈運命〉が待ち構えているか知ることができない。あたりまえのことがあたりまえのように生起するのが通常であるとしても、長い目で見れば、人生のなかに思いがけない転機やら不可解な事件・事故が起こってドラマチックな転変を余儀なくされることなど、ある意味では平凡な事実に属することである。物語（小説）はそうした人生一般を縮図のように時間空間を圧縮し、あたかもそこに〈意味の流れ〉があるかのように仮設したものである。そこに偶然があるのではなく、偶然の表情をした必然が立ちはだかっているにすぎないのである。そこにあるのは〈無意識の連鎖〉ではない。たしかに小説家にとっては叙述のなかで次なる叙述を最終的に決定している審級はことばへの意識であるだろう。しかしそれは叙述の審級が決定されれば、しばらくは叙述のスタイルが継続される、いわばひとつの転轍器の役割を示すのが偶然のように見える意識の作業なのであって、物語（小説）はそうした散文脈のなかでいくつもの転轍器が導入されながら進展するほとんど意識的な産物なのである。

ところが詩においてはこうした言語の散文性は本質的なものではない。ひとつのことば（あるいはことばのブロック）が偶然のような必然として生まれ、それが次にどういうかたちで展開されるべきなのかまったく見えないなかで、ことばは手探りの状態で次のことばの到来が待たれている。この懸垂状態のなかからことばが恩寵のように、あるいは力づよい必然性として発見されるほかはない。ここでは詩人のこれまでの経験のうちに意識的無意識的に蓄積されたことばの知と力が作品を誘導する（ことがある）。それはほとんどことばの無意識と呼ぶべきものである。どうしてこんなことばが突然あらわれてきたのか、詩人がことばを選択したというよりも、ことばによって詩人が選ばれたかのような逆転が起こる（ことがある）のは、詩のことばが唯一もちうる言語の本質的隠喩性、世界開示性という言語の一次性の力ゆえなのである。言語の散文性（二次性）においてなら前後の文脈上とか論理上とかの理由で排除ないし制御されかねないことばの無意識的攻撃性ないし発見の暴力性が詩のなかでは大手を振って躍動する（可能性をもつ）のである。吉本隆明の『言語美』においてはそういった考察は皆無であり、『言葉からの触手』においても残念ながらそういう論理的運びはない。〈ことばへの触手〉ではなく『言葉からの触手』であるということは、ことばが既知のものとしてしか設定されていないからこそなのである。わたしは『言語美』をつぶさに検討して、吉本は本質的に散文のひとであることを確認してきた。逆に言えば詩のことばの本質がわかっていないのではないか、というおそるべき事態である。『言葉からの触手』の「(16　指導　従属　不関（イナートネス）」という断章のなかの次の一節。

　現在では手段の分野が発達し、システム化しているので、意識化できる無意識はほとんどみんな意識化されてしまっている。どんなに力能をふるっても意識化できない無意識。それが

指導の装置を組みあげているのだ。（八九頁）

吉本はほんとうにこんなふうに考えているのか。これは先に言及したChatGPTなるまがいものの人工頭脳のシステムを先駆的に信じていることにならないか。吉本は科学畑出身ということもあって、科学的な思考にいとも甘いところがある。原発支持に典型的に見られるように、現代の科学はいずれ原発の汚水処理などもふくめた困難な諸問題を解決できるまでの水準に達していくだろうというような傲慢な思い込みと安直な科学信仰から最後まで抜けられなかった。人間の知識やそれにともなう意識化の水準はどこまでも上がるかもしれないが、それと同時にかつそれ以上に人間の無意識や社会的矛盾もどこまでも広がり深まっていくだろう。ことばの無意識というものがありうる以上、人間は単純化とはおよそ反対の方向に進まざるをえない。詩が必要になるのはこうした方向性においてであるのは間違いないだろう。《意識化できる無意識はほとんどみんな意識化されてしまっている》などとは誰がどう考えてもありえない。《どんなに力能をふるっても意識化できない無意識》というものこそが厳然と存在し、それが人間世界の理解を超えたさまざまな事象において顕現してきているのは昨今の世界を見れば一目瞭然である。

「（3　言語　食物　摂取」という断章のなかで《肉体には食物がどうしても必要だ》（一八頁）というパラグラフがあるが、その次のパラグラフはこんなふうにはじまる。

おなじく精神、いいかえれば普遍性にまで拡張された感覚器官にも、食物は必要だ。精神にとっての食物、つまり言語。言葉をしゃべったり、書いたりするのは、精神が喰べてることだ。しゃべっているとき、書いているとき、精神は空腹をみたしているのだが、そのときほんとに養分として摂取されるのは、ごくわずかで、あとは老廃物として排せつされているのとおなじだ。(一八—一九頁)

これはまるで『精神現象学』のヘーゲルではないか。わたしは本書第二部で吉本の立場を「意識言語論」と規定している。意識がつねに言語に先行し、言語を規定し制御してしまうばかりで、ことばの無意識の力などにはいっさい目もくれないことに着目した。ヘーゲルよりもさらに意識に重きをおく前ヘーゲル的とも指摘した。専門的にみてそれがあたっているかどうかはともあれ、吉本のように意識がつねに言語に先行していたら、ことばの無意識の力をひとつの動力としてことばそれ自体の可能性に分け入ろうとする詩の実験的な試みなどそもそも理解できないし、肯定することもありえない。

吉本のそうした意識的な言語認識からみると、『言語美』およびそれ以降の詩論においても現代詩の試みにたいしておよそ想像力にあふれた慧眼など見たこともないし、期待することもできないのはいまから思えば当然すぎるほどの話だったのである。そう思えば、『戦後詩史論』における「修辞的な現在」における〈修辞へのこだわり〉へのねじれた評価などまさにそうしたものだった。修辞へのこだわりのない詩などおよそ詩と呼べるシロモノでないことは自明だが、吉本はここでそれを総体的に否定する言辞として使っているのだ。さらにかつてわたしにも大きな影響力をあたえた（かに思われた）「日本の現代詩史論をどうかくか」（一九五四年、『抒情の論理』未來社、一九五九年）という詩史論において現代詩の本流のひとつをなす大岡信、谷川俊太郎、中村稔、中江俊夫などの一群の詩人たちを「第三期の詩人たち」とひと括りにして《詩意識のなかに、実存的な関心も、社会的な関心も、もたない詩人たち》《安定恐慌化した現在の日本資本制の、ごまかしの安定感のうえに詩意識の基礎をすえ、もうれつなはやさですすむ、階級分化の過程でみずからは、安泰であると錯覚している階級の、秩序意識を、詩意識のなかへくりこんでいる》（同前四九頁）と切って捨てるなど、およそ政治的イデオロギー的図式でしかなく、ことばの真相をそれこそ言語隠喩論的に解明したり価値判断したりすることができなかったのも、そういう側面を理解する方法をもっていなかったことを証明しているにすぎなかったことになる。

王様は裸だ、ということに気がついてしまったわたしにとって、吉本は詩を根本的に思い違いしていたか、本質的に言語の問題以外でないことを理解していなかったのではないか、という気づきはじつは大変な衝撃であったが、しかしそう考えるしかないところからすべてを見なおせば、これほど自明なことはなかったのではないかといまは確信をもって言える。これは『言葉からの触手』を読みなおしてあらためて確認したことである。

北川透さんへの手紙

（以下の手紙は、文面を見てもらえばわかるように、北川透さんから送っていただいた本のお礼状をかねて公開を前提に二〇二二年四月に北川さんに送ったものであるが、行き違いで実現せず、たまたま二〇二三年十二月二日、思潮社主催の「小田久郎とお別れする会」でお会いしたさいにあらためて依頼したもので、追伸も付けて送りなおさせてもらい、北川さんの承諾を得たものである。本書を書きはじめるまえの手紙であったが、すでに本書の内容を予告するものであり、関連も深いものなのでここに収録させてもらうことになった。）

（第一の手紙）

北川透様

たいへんご無沙汰しています。大兄はあいかわらずお元気でご活躍のご様子、とても頼もしくうれしくも思います。

そして今回は大著『北川透 現代詩論集成5 吉本隆明論――思想詩人の生涯』(思潮社)をご恵送いただき、感謝にたえません。これまでの巻も毎回しっかり読ませていただいておりますが、とりわけ今回は、既刊本の集成ではなく、これまでに書かれた吉本隆明についてのさまざまな論を再構成するという大事業で、相当な力を入れられたものと推測できます。

本が届いてさっそく読ませていただきました。いろいろ学びがあったのは当然ですが、思うところ考えさせられるところも多く、わたしも吉本隆明の仕事についてわたしなりに書くべき問題点をいろいろかかえておりますので、たんなる感想に終わらないお礼状を書かなければならないと思いました。

それでこのたび、公開を前提にした北川さんへの書簡というかたちで大兄へのお礼をかねた文章を書かせていただくことにしました。わたしの勝手な思い込みなので、読み捨てにしてもらってかまいませんが、ともかくもわたしのこれまでの数々の無礼にもかかわらず大兄がお示しくださる恩情と知的な恩恵になにがしかの返礼をさせていただければと願っております。表現者にとってはきちんと文章化すること、それも活字化してなんらかのメディアに掲載して公開することこそがもっとも適切な返礼の方法であり、また返礼のされ方ではないかと思うからです。(この稿はご了解をいただけるようでしたら、さしあたりわたしの個人詩誌『走都』の第二次9号での発表をかんがえています。)

今回の集成本に付録として収められた吉本隆明への長い電話インタビュー「メタファとしてのクラック――『試行』の現在と同人誌」をひさしぶりに再読し、古い『あんかるわ』73号を取り出してなつかしい思いを味わいました。その号は「同人誌を面白くする方法」という小特集が組まれていて、すっかり忘れていましたが、わたしもお声がけしていただき、短い文章を寄稿させていただいていました。遅くなって購読者となったわたしのおそらく初めての寄稿で、その後も終刊まで何度か執筆者に加えていただくことになりました。なんだかとんでもない過去の時間にワープしたような感じでしたが、吉本インタビューはその号の柱とも言うべき内容だったわけですね。長電話などしたことがないという北川さんのことばには、すこし驚きました。わたしなどは仕事上のこともあるにせよ、一時間を超える長電話などしょっちゅうだからで、これは北川さんらしいな、となぜか腑に落ちました。

さて、余談が長くなりました。あんまり長ったらしいのは長電話と同じで、北川さんは好まれないと思いますので、さっそく本論に入りたいと思います。

と言っても、この重厚かつ長大な吉本隆明論のすべてに言及することなどとてもできませんので、わたしがとりわけ関心をもつ言語の問題にしぼらせていただくのが一番だと思いました。ご存じだと思われますが、わたしは現在、これまでの自分の長年の課題であった言語の問題、レトリックとりわけ隠喩の問題に取り組んでおりますが、北川さんの吉本論のカナメもこの言語の問題にあると思われるからです。ですからわたしにとってもっとも緊要だと思われたのは第Ｉ部「吉本隆明の詩と思想」のなかの第六章「〈言語〉という主題——『言語にとって美とはなにか』まで」、第七章「『言語にとって美とはなにか』をめぐって」、第八章「《修辞的な現在》まで——『言語にとって美とはなにか』以後」ということになります。タイトルにありますように、いずれも『言語にとって美とはなにか』を中軸とするもので、この本をめぐってその前後の時期の問題とあわせて論じられています。北川さんにおかれましても吉本隆明を論じるにあたっての中心的ないくつかの問題のなかでも最大のテーマなのではないかと愚考します。なぜなら北川さんはなによりもまず詩人であろうとする言語表現者であるからです。

北川さんは『言語にとって美とはなにか』の詩史的、言語思想的、表現論的な重要性をはっきり書かれています。わたしもそのかぎりでまったく異論はありません。こんなスケールの大きな仕事はほかにないからです。しかし、わたしは『言語隠喩論』のなかで指摘しましたように、この言語論のなかの比喩論のところには大きな不満と異論があります。今後それをより大きなパースペクティヴで書くことがわたしの至上命令だと自覚しており、またそうした予告をさえもしております。これは自分のやり残すべき最後のテーマでもあるだろうからです。そんな予告の段階でえらそうなことは言えませんが、北川さんもおおいに不満とされている吉本の〈修辞的な現在〉という概念には、わたしも最初の評論本『方法としての戦後詩』（一九八五年）以来、自分なりの批判をしてきたつもりです。（そう言えば、この『方法としての戦後詩』は北川さんへの論及も多く、たいへんかかわりの深い本ですが、版元の花神社の廃業もあって、こんど新版を未來社から出し直すことにしました。）

北川さんは第八章でこう書かれています。

「《修辞的な現在》ということばには、どこかわたしたちを脅迫する響きがある。なぜなら、このことばからは修辞的ではない詩の現在があるかのように聞こえるからだろう。（中略）いつの時代でも、詩は本質的に修辞的だ。」（三七七頁）

「繰り返すが、〈修辞〉とは、個々の詩人の体験や能力を超えた表現の価値の問題だ。そこに全身を預けなければ、詩人が向き合っている世界は、私的な貧しい世界にしかならないだろう。吉本の言う《修辞的な現在》は転倒され、肯定されなければならない。」（三八五頁）

まことに力強い批判だと思います。『戦後詩史論』が一九七八年にこの〈修辞的な現在〉論をふくんで発表された当時、多くの若い詩人たちはその否定的な修辞論に圧倒され、いとも簡単に承服させられてしまった印象があります。わたしは学生時代からフランス系のヌーヴェル・レトリックにつよい関心をもち、〈修辞〉ないし〈レトリック〉にたいして批判的な考えはまったくありませんでしたし、むしろ〈レトリック〉を文学にとっては本質的な問題だと思ってきましたから、この断定には非常な不満を覚えました。ただそのころはいまの言語隠喩論的な、よりいっそう言語そのものの本質的隠喩性に目覚めるよりは、ロラン・バルトやジェラール・ジュネットの記号論的アプローチにとどまっていましたが。

ともかくこの〈修辞的な現在〉はいまの若い世代にはあまりピンとこない定言命題のようにしか受け取られていないようです。最近の『現代詩手帖』なんかを見てもそうした歴史的文脈に無知な、そして〈レトリック〉の文学的意味などにも関心をもつことがないような作文がまかり通っています。そんななかでの北川さんの発言はより本質的に〈修辞的な現在〉の必然性を揚言されたわけですから、わたしなどにはたいへん心強く、あらためて北川透おそるべし、の印象を新たにしています。たしかに文学、すくなくとも詩にとって〈修辞（的な現在）〉がもっとも根底的な問題であることを、吉本の意図とはまったく逆に肯定的に評価することは今回の『北川透現代詩論集成5　吉本隆明論』のなかでも白眉の論点だと思います。

じつはわたしはこれまで北川さんがこれほどにも詩的言語のレトリックの重要性を考えられてこられたことに不覚にも十分に理解していなかったことを痛感しています。これはきょうたまたま届けられた『季刊　び－ぐる　詩の海へ』55号の詩論時評の新担当者・高橋秀明がまるまる四ページを使って「野沢啓『言語隠喩論』について」を書いてくれましたが、そのなかで北川透『詩的レトリック入門』に言及しないで《いま隠喩について論じることは殆ど無意味だとさえ私は思う》というような切り捨てまでおこなっています。これにはいささかがっかりしました。というのは、この一九九三年に刊行された『詩的レトリック入門』は刊行とともに寄贈していただいてすぐにも読んでおりましたが、そのころ『菊屋』などで展開されていた北川さんの〈演戯〉

論としての詩的レトリック論には正直言って納得できなかった記憶があり、わたしの言語隠喩論の展開のなかに組み入れることは最初から除外してしまった経緯があります。もし論及するなら相当シビアな批判をすることになるだろうと予測できたからです。これは北川さんにはたいへん失礼でおこがましいことを申し上げているので、ご寛恕いただくしかありません。北川さんもそうだと思いますが、高橋秀明はわたしも評価している数少ない詩人・詩論家でもありますので、この評言はあらためて検討しなければならないと思って、さきほど『詩的レトリック入門』を取り出してきたところです。いまは時間がありませんので、この本を再読してわたしの言語隠喩論の展開のなかに取り込めることができれば、当然ながら論じさせていただくつもりです。わたしの言語隠喩論的探究は『言語隠喩論』一冊で終わったわけではなく、その後も継続していますから、これからでも遅くなることにはならないと思います。

ここでひとつだけどうしても北川さんにうかがってみたいことがあります。それは三四七頁でも引用されている吉本の文章にかかわることです。《文字の成立によってほんとうの意味で、表出は意識の表出と表現とに分離する。あるいは表出過程が、表出と表現との二重の過程をもつようになったといってもよい。言語は意識の表出であるが、言語表現が意識に還元できない要素は、**文字**によってはじめてほんとの意味でうまれたのだ》云々という部分です。これは『言語にとって美とはなにか』の表現論のなかでも大事なポイントだと思われますが、北川さんはこれについて評価されていらっしゃるように読めます。

しかし、これはふたつの問題から議論されるべきではないかとわたしは思います。ひとつは《言語は意識の表出である》と簡単に言ってよいのか、という疑問です。これは意識がまず先にあってそれを言語が表出するという意識先行説になっていて、内部のものを外部に表出する、古い〈表現＝外出〉論と同じになってしまわないかという疑念です。吉本はそれだけではまずいので、〈文字〉という別の概念をもってきて《言語表現が意識に還元できない要素》がそれによってはじめて意味をもつことになったと理屈づけをしていますが、これはわたしには転倒されなければ成り立たない考えだと思います。ふたつめの問題はそこにかかわってきますが、これはかつてならエクリチュール論として展開されたとも言える解釈になりますが、わたしはそこから一歩すすめて、《言語は意識の表出である》のではなく、意識とは言語の表出＝発現においてはじめて成立する、と考えるべきではないかと思います。そこはいくらかフロイト的です。すくなくとも詩のように、既成の世界ではない新たな創造的世界の建立をめざすものとしては、言語（文字）が表出＝発現されることによってはじめて意識化される世界というものが形成されるべきではないか、という理解です。そうでなければ、北川さんが述べていらっしゃるように、《(問題は）詩を書く以前からわかっている〈真実〉などを、詩は主題にしないし、目的にもしないし、根拠にもしない》（三七二頁）ということになるのではありませんか。言語が創造的隠喩性をもつというわたしの言語隠喩論の最大の主張はそこにこそあるので、吉本隆明の言語思想の先見性は認めつつもその限界をはっきり見なければいけないように思うからです。このことはおそらく北川さんなら認めていただけると思いますが、さきほどの高橋秀明でさえも、こうした意識と言語の根源的〈逆立〉を理解していないから、わたしの言語隠喩論は進歩がないしわかりにくいと言ってすませてしまうように思われます。ヴィーコやデリダなどをもちだして読者を幻惑させているだけだ、というのも、わたしがこれらの哲学者たちの考えを批判的に言及しさらにその先を考えようとしている点が見えていません。多くの詩人は、こうした理解にとどまって、いまでもまだ隠喩はなにごとかの〈言い換え〉にすぎないものとしか考えていません。そこの理解がないと詩を書くことがどれだけ言語的な事件であるかということを理解できないまま《詩を書く以前からわかっている〈真実〉》をただなぞっているだけか、あるいは《私的な貧しい世界》を再現するだけのことになります。わたしの言語隠喩論は詩人のためだけに書かれているわけではありません。哲学者や言語学者への言語論的な挑戦としても書かれているので、たんなる詩論のつもりはありません。このあたりのことについてぜひ北川さんのご意見をいただきたいと思います。

北川さんがわたしの『言語隠喩論』をアンケートなどで短いながらも評価していただいているのはうれしいのですが、そのなかに『詩的レトリック入門』が論及されていないことにご不満があったにちがいありません。それでも寛容に評価していただいたことに感謝しますが、それというのも、北川さんの言語意識がわたしのそれとリンクする部分があったからだと今回あらためて認識したしだいです。

だらだらと長く書いてしまいました。いちおう四千字程度の分量を想定して書きはじめましたが、いつのまにやら予定をはるかに超えてしまったようです。これ以上はご迷惑になると思いますので、これでとりあえず終りにいたします。ありがとうございました。

野沢啓拝

二〇二二年四月×日

(第二の手紙)

北川透様

つい先日(二〇二三年十二月二日)、思潮社主催の「小田久郎とお別れする会」で何年ぶりかでお会いしてお話をさせていただき、たいへんうれしく思いました。そのさいに以前にお送りしたお手紙(前便)にお返事をいただいていないことをぶしつけにも申し上げたところ、どうも記憶がないとのことで、あらためて送りなおさせていただくことをお伝えし、ご了解いただきました。前回の分も予定を超えて長くなってしまって恐縮なのですが、前回から一年半以上も経過していたことにいささか驚いている始末です。

今回あらためて読みなおしてみて、修正する必要はまったく感じなかったのですが、いくらなんでもそのままでは時間の経過を無視したことになります。というのは、このお手紙を書いたときにはまだ書きはじめていなかった『季刊 未来』連載の「詩的原理論の再構築——萩原朔太郎と吉本隆明の所論を超えて」がこのたび五回分で完結し、来春には一冊として刊行するところまできているからです。わたしとしても北川さんのご関心のあるところと重なっている問題を論じたつもりでおりますから、ぜひお読みいただきたいと思っております。そんなこともあって、当初予定させていただいたわたしの個人誌『走都』にではなく——この詩誌を高く評価してくださって、どうして『イリプス IIIrd』に参加したのか、『イリプス IIIrd』はきみがいなくてもすでに十分に成り立つ同人誌なんだから、『走都』が消えるのは残念だ、とまで過褒なおことばまでいただいて恐縮なのですが、——可能ならばこんど刊行する『詩的原理の再構築』に補論のようなかたちで収録させていただけないか、と今回読み返してみて思ったところです。こんどの本は吉本隆明の『言語にとって美とはなにか』を主要なターゲットとしていますので、今回のお手紙は内容的にもピッタリかなと思ったからです。

そしてさらにずうずうしくお願いしたいのは、北川さんからのなんらかのコメントをいただけないか、ということです。北川さんが『北川透 現代詩論集成5 吉本隆明論』のなかで吉本への表出論への異和感というか、これまでとはちがう解釈を提出されており、おそらくわたしのほうはもっと徹底して表出論を批判しているという立場のちがいはあると思いますが、だからこそそうした差異についてのご意見を賜ることができれば、こんごのわたしの言語隠喩論的な試みにも新しい展望が見えてくるかもしれないと期待したいからです。

そんなわけでぶしつけなお願いをしてしまったかもしれませんが、もし北川さんがなんらかのご関心をもってご理解いただけるようでしたら、今回の手紙もふくめて公開させていただければ、こんなうれしいことはありません。

まずますお元気でご活躍を祈りつつ。

野沢啓拝

二〇二三年十二月三日

さらなる言語的探究へ——あとがきにかえて

ここまで萩原朔太郎『詩の原理』と吉本隆明『言語にとって美とはなにか』という日本の近現代詩における屈指の理論書（と思われた）二冊を対象として言語隠喩論的立場から論じてきた。この本は『季刊　未来』に五回にわたって連載された論考を中心にまとめるものだが、『言語隠喩論』（未來社、二〇二一年）の問題提起以降の原理的問題意識を持続し、さらにその応用篇でもある『ことばという戦慄——言語隠喩論の詩的フィールドワーク』（未來社、二〇二三年）とあわせて言語隠喩論三部作としていちおうの完結とするものである。

本書は『言語隠喩論』の原理的な言語の考察をもとにそのさらなる原理的な探究をすすめるよう内的な要請から着想され書きつづけられたものであり、結果として自分としては最初に想定もしていなかったところにまで押しだされることになった。連載中もいろいろな意見があり、ひとに意見も聞いたりして、自分としては慎重に書きすすめてきたつもりだが、ときに批判が厳しすぎたりして、その激しさがひとを驚かせたこともあったようだ。しかしこれが自分の書きかたなのであまり拘泥してもしかたがない。批評というのはみずからの論点をはっきりさせないかぎり何が問題なのかを明示することができない。奥歯にものがはさまったような言いかたでは事態はいっこうに明らかにならないからだ。

書きすすめるにつれて『詩の原理』も『言語にとって美とはなにか』もそれぞれの問題点が浮上してくるのが手に取るようにわかってきた。通り一遍の読書ではほとんど見逃してしまうだろう数多くの難点がそれぞれの書にあるのであって、踏みこめば踏みこむほど書き手のモチーフや思いこみが見えてくるのである。それはある意味ではドラマチックな展開だったかもしれない。それぞれの論点を逐条的に押さえ論理的に整理してみなければこうした回路は見えてこない。こうした愚直なまでの追求をしてみたからこそそれらがはっきりしてきたのであって、おそらくこんな面倒なことをやろうとしたひとはいままでいなかったにちがいない。わたしだって『言語隠喩論』の展開上の必然としてこれをやってみようとしたからであって、そうでもなければ詩史的な常識の範囲でこれらの本を高く祀りあげたままにして終わっていただろう。げんに何人ものひとから『詩の原理』も『言語にとって美とはなにか』も読んではみたことがあるが、退屈な本でよくわからなかったという印象をもっていたという感想と、これを細かく嚙み砕いてくれたのでようやくその意図するところがわかり、漠然と疑問としていた問題点がどこにあったかがわかったと言ってくれて、わたしとしても手応えを感じさせてもらうことがあり、励みにもなった。自分自身もそうだったことから、このことには実感がある。

詩の原理的考察とはなによりもことばそのものを起点として考察されなければならない。その点ではとりわけ吉本隆明はことば以前にみずからの言語への理論的思いこみが先行し、それに現実の作品をあわせるかたちで、いわば「寝台にあわせて足を切る」ような思考が顕著に見られることが判明した。朔太郎もまた独特なロマン主義的視点からあまり有効とは思えないタームを用いて詩史を記述しようとするところでおのずから論理的に破綻している。しかし本文でも書いたように、朔太郎という本質的な詩人らしい観点が『詩の原理』刊行後に出てきているのはご愛嬌というものだろうが、《詩人があつて、言葉が出來てくるのではない。言葉があつて、詩人が生れてくるのである。換言すれば、言語が詩を決定するのである》というような詩人でしか書けない言語観が証明するように、朔太郎は論理よりも詩というかたちで言語表出するほうがふさわしい人間なのである。逆に吉本隆明は本質的に論理のひとであり、意識先行型の人間であることが今回の探究でよくわかった。詩人とはことばにまず魅入られ、そのことばをことばそのものとして探究するのが本分ではないか。古来、日本には〈言の葉〉としてことばを尊重する気風があったが、それはもしかすると現代でも詩人こそがもっとも体得しているべき言語感覚なのではないか。わたしの言語隠喩論という視点は、そうした〈言の葉〉としてのことばが本質的になにか得体の知れないものへの隠喩なのであり、そこからしかことばの世界を創出していくことはできないことの認識に基礎づけられている。そうしたことば以前には意識はまだ存在しないし、意味も発生しない。朔太郎はそのことを感覚的によくわかっていたし、その詩そのものがそのことを十分に納得させてくれる。残念ながら吉本はそういうタイプの詩人ではなかった。そこが今回の探究の成果であり、ひとつの重要な結論である。

＊

藤井貞和は『イリプス IIIrd』5号（二〇二三年十月）の『ことばという戦慄——言語隠喩論の詩的フィールドワーク』書評「詩のことばの隠喩的世界切開力」のなかで『言語隠喩論』は《言語の原初からの本質を理解し、それを詩の世界に投影する》ものであることをズバリと指摘してくれている。たしかに『言語隠喩論』では言語にかんするさまざまな言説、それも言語の隠喩性にかんする哲学的、言語学的その他の言説を片っ端から参照し、結局、言語の本質的隠喩性を見いだし、その創造的世界開示性といった観点を最終的に打ち出したことになるが、その論理的な問題のいきつく先は、そうした言語の発生における本質は、現代においても詩のことばの成立においてかならず何度でもくりかえされるべき基本的な原理である、ということを見いだすことにあった。現代の詩人もそれぞれの詩を書くにあたってみずからの詩がこれまで誰も書かなかったことを書こうとしてこのことを深くか浅くかは知らず体験しているはずである。

このことを藤井貞和はすでに『〈うた〉起源考』（青土社、二〇二〇年）で短歌の歴史を探るなかで書いている。

人類の歴史に置いてみて、自分たちの恋愛ばかりは特別であり、よそになく、初めてであることを証明しなければならない。そこに和歌には起源が詠まれるという性格があると考えられる。和歌が大量に作られた理由をそこに求めるしかない。（中略）基本は自分で作る。だから、先行の和歌の骨格を利用して、字句を換えたり、上下を入れ替えたり、工夫する。それによって自分の作歌にしたててゆく。類歌というのはそうした個人歌の起源にかかわる結果であり、量産される。一編一編の和歌が起源にならなければならない。こういう始まりを個人のそれと見る、和歌と呼ばれる詩はそのような〈個人の起源としての文学〉であり、個人に始まる新しさ、自分において初めてだという「起源」を作り出す。創作文学であるとはその謂いで、起源を作り出すというように考えれば、類型の量産にすら個によるオリジナリティがある。（同書六九頁）

あらためて認識しよう。詩とはそれぞれが起源の言語とならなければならない。わたしがああだこうだとことばを重ねてアプローチしようとしてきたことが、藤井は短歌の歴史のなかに起源としての詩のそのつどの発生を見いだすのである。短歌がたった三十一文字のなかで無限に模倣と反復をくりかえし序詞やら枕詞やら懸け詞を駆使しながら膨大な作品がこれでもかこれでもかとばかりに量産されてきた歴史には、各個人における起源のことばをめざすこうした動機があったからこそなのである。

詩のことばはかかりに意識的な動機設定から始まる場合であっても、どこかでかならずことばそれ自体の自律的な働きを喚起し、書き手が書きはじめた当初は及びもつかなかったかたちに展開していくものであり、またそうでなければならない種類の言語活動なのである。最初から最後まで意識に統括されたことばなど、詩のかたちをとっていても、それはあらかじめ想定されたメッセージ（ないしはアジテーション）を行分けしただけのものにすぎない。それはどれほど上出来な体裁をもっていても詩とは似て非なるものであるということを本書は論じてきたはずである。藤井貞和が言う〈個人の起源としての文学〉とは、ことばの探索がそのつど起源的なことばの探索でもあることを示している。それは近代人、現代人としての抜きがたい意識をどこかでいったんは無化する機制がはたらくということであり、それができなければ詩をわざわざ書く必要などないのである。《言語の原初からの本質を理解し、それを詩の世界に投影する》という藤井の指摘は、言語が本質的にもっている隠喩性――それが何の隠喩であるかというような技法上の問題とは根本的に異なる、それ自体が何を意味しようとしているかをいまだ知らないが、その何かにむけてことばの力だけに依拠して書きすすめることができる、得体の知れない駆動力としての隠喩性――こそが新しい詩の言語を見いだすだろうという予見にもとづいた営為なのだというわたしの言語隠喩論的志向を支持してくれているのである。

大岡信は『蕩児の家系――日本現代詩の歩み』（思潮社、思潮ライブラリー、二〇〇四年）のなかで書いている。

言葉はそれ自身を意味、音声、文字としてたえず対象化し、外在化するシステムだが、まさにそれゆえに、その働き自体は、対象化され得ず、外在化され得ないものでありつづける。そして、この働きそのものが、つまり言葉にほかならなかった。対象化された言葉を対象化した、対象化されぬ言葉があるのだ。そして、詩はまさに言葉のこの両面性のあいだで、たえず行為しようとしている何かにほかならない。それは、行為するが、行為のさなかにあってみずからを対象化することはない。その行為の結果としての詩篇が、対象化されたものとしてわれわれに残されるだけである。

だから、詩は、必ずしも常に主題によって先行されてはいないが、言葉によって常に先行されているのである。（二六九―二七〇頁）

ここでまだ若かった大岡が書こうとしていることは言語という〈外在化するシステム〉のなかでそれ自体としては対象化されることのない言語があり、それが詩だというのであるが、その言語は主題（＝意識）に先行されることはない、ということを、少々まどろっこしい言いかたで表明しているのである。（ちなみに『蕩児の家系』初版は一九六九年、大岡が三十九歳のときに刊行されている。）大岡は隠喩には言及こそしていないが、すくなくともことばが意識に先行しているのが詩だということはここで明言しているのである。

このことを大岡はもっと若いときに書いた「菱山修三論」で散文詩と詩の〈思想〉について触

れながら《人は行分けの詩形よりも散文詩の方が、思想なるものを盛るには手軽だとでも考えているのであろうか。思想とは外部にあるものではない。いつだって思想は内部にしかない。絶えざる己れの検察以外に、思想を捉える術はないのだ。本当は、詩形など問題ではないのである。詩形を捉える内部の形式が問題なのだ。更に言うならば、思考過程がそのまま詩作過程であるような、そういう同時的把握の形でとらえられる形式のみが問題なのだ。》（『抒情の批判——日本的美意識の構造試論』晶文社、一九六一年、一五五—一五六頁）というすばらしい考察を残している。詩の思想とはまさにこうあるべきなので、詩とはことばと思想が一体化して実現されるべきなのである。当然ながら、この場合、意識はその外部に取り残されるものとなる。

いずれにせよ、藤井貞和にしても大岡信にしても、それぞれきわめて高く評価されるべき詩人であるが、そういった詩を書くことに通暁した詩人たちがみずからの実践に立ちかえりながら詩のことばの成り立ちを考察した詩論ほど、役に立つものはない。そう言えば、藤井はこんなことを書いていた。

詩人のしごとは詩を作るほかに、言語の考察者でもなければならなかった。言語じたいを作ることとともに、言語を考察することによって言語探求者でもあって、得手不得手の別はあるとしても、詩の作り手が同時に言語研究の徒であることをまぬがれにくかった。言語じたいを作ることと言語を考察することとは、言語探求として、未分化な二つの側面だった。

（『詩的分析』書肆山田、二〇〇七年、三七二頁）

このなかば強いられた言語探求者としての詩人のポジションは、哲学者にも言語学者にもまかせておけない、言語の本質にかかわろうとする者が逃れることのできない宿命でもあることがいよいよ明白になってきたのが、本書を書き終えたところでの正直な実感である。

＊

ここでこれからの詩の進展を考えていくためにどうしても考えておかなければならない問題がある。それは「詩を書くことにどんな意味があるか」という問題である。前節でも触れたように、詩が〈個人の起源としての文学〉（藤井貞和）となるべき行為だとして、それが個人的であれ社会的であれそこにどんな意味があるのか、という根源的な問題を解決しているわけではない。藤井は最新刊『〈うた〉の空間、詩の時間』（三弥井書店、二〇二三年）のなかで《一般の言語学が〝意味〞の下面にある、一つ一つの音をなす、音韻や、音声の分析までも怠らないのに対し、われわれの詩学はどうしても〝意味〞をはずせない、というところにある》（一七五頁）とまで言うところの〈意味〉の問題である。ここで藤井が言いたいのは、詩学はそれぞれの詩の意味の問題を避けてはならない、というだけなのか、それとも詩にはそれぞれ作品としての次元を異にする〈意味〉すなわち書くこと自体の意味がなければならない、と考えるべきなのかという問題である。大岡信の言う詩に固有の〈思想〉も同じことであろう。

詩に固有の問題は哲学者や言語学者にまかせてはおけないという事情がある以上、詩における〈意味〉の解読は詩人という〈言語探求者〉の仕事であることはもはや言うまでもないだろう。そもそも詩には探究するに値する〈意味〉があるのか、という詩人＝〈言語探求者〉のみが対応しうる根源的な問題がひそんでいるのではなかろうか。藤井の意図はどうあれ、それぞれの詩が意味を表出しているのかいないのかという次元にではなく、その意味がはたして詩として表出されるに値する〈意味〉なのか、という問いにまで掘り下げてみなければならないであろう。

詩がことばで構成される以上、ことばがおのずからもってしまう意味（あるいは二次的な流通的意味）の介在は不可避である。そのかぎりではことばによって構成された詩という作品（テクスト）がなんらかの意味をおのずからつくりだしているのは当然のことだが、問題は、作品としての意味がはたして詩として書かれるべき〈意味〉なのかどうか、ということである。すでに書かれるまえから書き手に了解されているような常識的な世界観あるいはイデオロギー的な思想はもちろんのこと、誰にでもすぐに思い当たるような社会通念やそれらを表現する用語や概念を並べたようなことばでできた作品などは行分けされた散文にすぎないのであるから、作品としてはなんの〈意味〉も〈思想〉もないのはいまさら言うまでもない。また、最初から意味を拒否するように書かれているモダニズム的な詩もまた定義上〈意味〉を取り出すことはできない。詩学も無意味にたいしてそこまで論じる義務はない。

それでは何が詩の〈意味〉や〈思想〉を構成するのだろうか。現代詩の多くに見られるのはかつてミーイズムと呼ばれた極小私空間における身辺雑記ないし私的感慨を行分けして詩の体裁を与えたものである。あるいはこれを宇宙空間大に拡張して疑似科学的な省察をくわえたような作品もしばしば見かける。だが、これらは結局のところ同じものである。そこには個の小さくまとまった世界（あるいはそれの反映としての極大化された世界）から普遍の世界へと飛躍していこうとする方向性が見えないからである。もちろん一概に言えないのは、小さな発見のなかに深い洞察が隠されている場合もあるからである。問題は発見や洞察の大小ではない。それらが個の制約からどれだけ抜け出て、ことばという可能性にみずからを懸けているか、なのである。

かつて〈戦後詩〉と呼ばれた、戦後直後から一九七〇年代ぐらいまでの時期に書かれた作品にはもうすこし社会性のあるものがあった。時代が替わるときには、詩もまた変化せざるをえない。たとえば明治初期に正岡子規が推進したおそろしくきまじめな近代短歌のように、硬直した思想的術志の詩的主張とでも言うしかない動きがあった。そういう状況的な作品はいまは書きにくいのはよくわかる。時代がそういうものを要請しなくなって久しい。へたするとメッセージ詩になってしまうのはそういう時代状況へのむしろ鈍感さを示していると言っても過言ではない。その一方でことばの自由で自立的な豊かさが書かれているかというとそうでもなく、たんなる詩的迷妄と化したような現代詩の状況がつづいている。書くことの指針が見つからないのに作品だけが量産される。

とはいえ、いかなる位相で書かれるにせよ、詩が書かれるためには、大岡信が言うように、詩は（主題によってではなく）《言葉によって常に先行されている》必要があるのであって、そのことは詩が試みられるときに無意識に書き手がおこなっているその可能性を否定することはできない。書き手が詩を書こうとするのは最初から言うべきことが見えているようなことばの複製ではなく、どこへ行くことになるのかわからないままことばの力に依拠しながら手探りで書きすすめられるような作品であり、そうした作品こそが書かれなければならないのではないか。そうした未知の可能性を探究した作品こそが自己発見的であるし、読者にも思いがけずインパクトを与えられるような世界を開示することができるのである。詩学とはそういった未知なる〈意味〉や〈思想〉を読解しようと待ち構えているものなのである。

言語隠喩論は詩のことばの可能性をことば自体のもつ本来的な創造的隠喩性に見ようとするもので、詩の可能性をこのことばの根源的な力に期待している。だからこそ、詩はこの観点から書かれ、読まれることを主張するのである。そういう意味で言語隠喩論は解読の詩学であるとともに、詩を書くための創造的発見の詩学でもあろうとする絶えざる試みなのである。

そういうわけで、わが言語隠喩論の探究はまだまだ終わるどころではないことになった。『言語隠喩論』から『ことばという戦慄――言語隠喩論の詩的フィールドワーク』、そして本書を書きすすめてきたプロセスのなかでいろいろなひとから書評やら言及やらの指摘をたくさん受けて、それはそれでおおいに感謝もし、うれしくもあり、ヒントを与えられることもあって、ますますこの探究に邁進することになりそうだからである。もうすでに次の探究がはじまっている。

＊

ここまで書いてきてあらためて思うのは、長らく現代詩の世界から離れていたあと、およそいまから十年ほどまえにこのままでは終われないという一心からこの世界に再接近し、それと同時にこれまで怠けてきたさまざまな（当然ながら古典をふくむ）知との（再）遭遇を猛烈な勢いで果たすなかから、みずからの個人詩誌『走都』の復刊を起点として、かなりの分量の詩と詩論を書いてきたことの意味である。

その最初の一歩が二〇一九年に思潮社から刊行して思いがけなくも翌年の日本詩人クラブ詩界賞を受けることになった『単独者鮎川信夫』であったが、その刊行直後から模索的に書きはじめた言語の本質的隠喩性をめぐる論考がしだいにその輪郭が明瞭になっていく過程でひとまず完成したのが二〇二一年に未來社から刊行した『言語隠喩論』であった。ここで獲得した原理的視点を近現代の日本のさまざまな詩に具体的に投影したのがその間に書きついできた九本の作品論（詩人論）で、これらもひとます収録したのが『ことばという戦慄——言語隠喩論の詩的フィールドワーク』（未來社、二〇二三年）であり、そして今回の『詩的原理の再構築——萩原朔太郎と吉本隆明を超えて』となったわけである。ほぼ四年のあいだにこの言語隠喩論三部作は自分でも信じられないほど怒濤のように書きすすめられたことになる。

おそらく自分が離れているあいだに現代詩の世界がおそろしいほど低迷し、詩論的あるいは詩学的な探究がほとんどなされないままに表層的な言語遊戯に無葛藤のままできていることをあらためて目撃するなかで、だれに使嗾されたわけでもないのに現代詩がこのままではいけないという危機感からはじまった面があるにせよ、そんなつまらないジャーナリスティックなかかわりに足を突っ込むより、原理的な視点から詩の問題を根底的に考えていくという、おそらく誰もやりたがらない批評的な仕事をみずからに課したことになる。しかしそれは誰のためにでもなく、みずからの批評的野心がおのずから呼び寄せた仕事だったのだから、いまはそれなりの達成感があることも隠すつもりはない。自分としては、書くことがこれほど愉しかったことはなかったし、書きつづけるなかで自分なりの発見につぐ発見があったこともたしかであり、ある程度の時間を確保できるようになったことで、読むこと書くことの連動性がそこに生じ、あまりテンションを落とすことなく、自分のイメージをふくらませることができたことは、書くまえには想像すらできなかった初めての事態だったと言えるような気がする。

そういうわけだから、この言語隠喩論三部作がいまの現代詩の世界で正当に受け容れられるかは残念ながら不明だが、これは本格的な詩論というものの運命なのだからやむをえないと観念している。しかし、きわめて数少ないだろう真の読者がどこかでこの仕事に注目してくれることに期待しないと言えばウソになるだろう。これをひとつのきっかけとしてでも現代詩の世界が活性化し発展していくことを願うばかりである。

*

なお、本書は『季刊 未来』二〇二三年冬号から二〇二四年冬号にかけて五回にわたって連載した「詩的原理論の再構築——萩原朔太郎と吉本隆明の所論を超えて」を再構成し手をくわえたものに、「付論」として同人誌『イリプス IIIrd』5号（二〇二三年十月）に書いた「吉本隆明の言語認識——『言葉からの触手』再読」と、連載がはじまるまえに北川透に送った「北川透さんへの手紙」とその追伸を北川の了解を得て追加した。いずれも本論にたいする別の面からの補強につながるものである。

二〇二三年十二月

野沢 啓

●著者略歴
野沢啓（のざわ・けい）
1949 年、東京都目黒区生まれ。
東京大学大学院フランス語フランス文学科博士課程中退。フランス文学専攻（マラルメ研究）。
詩人、批評家。日本現代詩人会所属。
詩集——
『大いなる帰還』1979 年、紫陽社
『影の威嚇』1983 年、れんが書房新社
『決意の人』1993 年、思潮社
『発熱装置』2019 年、思潮社
評論——
『詩の時間、詩という自由』1985 年、れんが書房新社
『隠喩的思考』1993 年、思潮社
『移動論』1998 年、思潮社
『単独者鮎川信夫』2019 年、思潮社（第 20 回日本詩人クラブ詩界賞）
『言語隠喩論』2021 年、未來社
『［新版］方法としての戦後詩』2022 年、未來社（元版は 1985 年、花神社）
『ことばという戦慄——言語隠喩論のフィールドワーク』2023 年、未來社

詩的原理の再構築
——萩原朔太郎と吉本隆明を超えて

2024 年 4 月 1 日　初版第一刷発行

本体 2800 円＋税———定価

野沢 啓——著者

西谷能英———発行者

株式会社　未來社———発行所

東京都世田谷区船橋 1－18－9
振替 00170-3-87385
電話(03)6432-6281
http://www.miraisha.co.jp/
Email:info@miraisha.co.jp

萩原印刷———印刷・製本

ISBN 978-4-624-60125-6 C0092